À Benoît Mandelbrot,

« Porté disparu »

avec mon
admiration

A PROPOS DE L'AUTEUR

Derniers livres publiés : *Le Fou Rire des Lilliputiens* (théâtre), *Le Funambule de Dieu* (roman), *Borges* (scénario de son septième long métrage), *Ma tendre tarentule* (poèmes) et *Un esclave nommé Cervantes* (essai).

Monique et Michel Roncerel et Antoine Verney viennent d'établir le *Catalogue raisonné* de plus de 400 de ses ouvrages, poèmes illustrés et livres-objets qui seront exposés à partir du 29 avril au musée de Bayeux.

[L'artiste *nouveau media* Franziska Megert (DD) a créé *http://www.arrabal.org* et *http://www.arrabal.org/padre.html*
Grâce au court film que l'on peut voir sur ce dernier site Arrabal a lancé un appel pour essayer d'obtenir des informations inédites sur son père.]

Fernando Arrabal

« Porté disparu »

Plon

ISBN 2-259-19272-6

1

Si j'étais sûr que mon père était mort, il aurait cessé de me hanter. Même si j'avais la certitude qu'il avait été torturé jusqu'au dernier souffle. Mais pouvait-il disparaître sans laisser de traces dans l'Espagne de 1941 ?

Deux ans après la guerre civile, le pays était quadrillé. Les autorités essayaient de tout contrôler. Tout citoyen avait besoin d'un sauf-conduit pour changer de département. Un ministre avait déclaré : « Rien ni personne ne nous échappe, nous trouverions une aiguille dans une meule de foin. »

Les policiers espagnols de l'époque avaient le droit de tirer sur un prisonnier en fuite comme mon père. Quel affront pour l'Etat de ne pas l'avoir trouvé ! Et, pourtant, il disparut comme si la terre l'avait englouti.

Mais il y eut de telles tragédies pendant ces années ! Tant en Espagne qu'à l'extérieur du pays, dans les camps nazis.

Trois semaines après sa fuite, qu'alors j'ignorais, ma mère mit un crêpe noir sur mon veston. Elle m'annonça que mon père était mort. Sans me fournir aucune explication. J'acceptai ses dires comme un verdict, mais aussi comme un avertissement.

Je dissimulai ma curiosité, comme si je lui faisais un don secret. Le temps prit le rythme de l'oubli.

Auparavant, des quatre premières années de ma vie, seul moment où j'ai vécu avec mon père (et ma mère), je ne garde de lui que quelques rares images.

Je me souviens de ses mains sur mes jambes. Quand il enterrait mes pieds dans le sable de la plage de Melilla.

Je n'avais pas encore quatre ans quand il fut condamné à mort, et je cessai de le voir définitivement. Cependant, le soleil brillait et le chagrin éclatait en d'innombrables gouttes d'eau.

A l'âge de quinze ans je découvris une boîte en carton cachée dans un petit cagibi de ma mère. Etonné, et surtout bouleversé, je lus les lettres et les dossiers qui prouvaient que mon père n'était pas mort... qu'il s'était échappé... et qu'il avait disparu.

La découverte rehaussa sa personne d'une manière presque déraisonnable. Je l'imaginai tel un Quichotte. Comme un bouc émissaire. Comme le modèle que je me devais d'imiter.

Lorsque les personnes qui m'aimaient me demandaient ce que j'admirais le plus, oubliant les châteaux infinis je répondais, aux confins de l'Univers, que c'était un homme dont je ne parvenais à me rappeler que les mains sur mes pieds.

Il me manquait tant de précisions et de données ! Je me proposai d'élucider, au plus vite, le mystère que recelait sa vie. Et surtout celui de sa disparition.

J'ai parcouru le monde à la recherche de ses images, ses photos, ses lettres, ses tableaux, ses dessins. Chacune de ses œuvres éveillait en moi des paysages traversés par cent mille chevaux couverts de larmes.

Grâce à l'un des dossiers du cagibi, j'appris que, lorsque la guerre civile avait éclaté à Melilla, mon

père avait été détenu et condamné à mort pour
« rébellion militaire ».

Parfois, quand je pensais (et quand je pense
encore !) à lui, l'orage et le ciel, l'écho et la musique
se revêtaient de pourpre et de cendre.

Sans éléments concrets, je ne pouvais qu'imaginer son calvaire après son arrestation et sa condamnation.

Je ne me souvenais que de ses mains sur mes
pieds d'enfant enterrés dans le sable de la plage de
Melilla. Et, quand je l'invoquais, le silence s'emplissait d'ailes et d'escaliers de fer. Je sentais l'humidité
de son sang glisser le long de mon dos nu.

Le jour où il s'enfuit, j'appris que les alentours
étaient recouverts d'un mètre de neige. Il ne possédait aucun papier d'identité et n'était vêtu que d'un
pyjama.

Mais je voyageais, guidé par l'imagination, ma
main dans la sienne, par les sentiers et les galaxies,
caressant des fauves inexistants, me désaltérant à
des sources et des trous dans le sable remplis d'eau
douce.

Je croyais que sa vie était l'une des plus douloureuses. Je chantais les miroirs sur la mer, et le
délire.

Dans les albums de famille sa photo manquait, ou
bien, sur les photos de groupes, quelqu'un avait
découpé sa silhouette.

Mais la calomnie, le silence et le feu n'avaient pas
éteint la voix du sang. Elle franchissait les montagnes et me baignait de lumière et de lymphe.

Quelle émotion j'éprouverais (encore aujourd'hui !) si quelqu'un me disait : « J'ai été son compagnon de cellule ou d'études ou de jeux, il était
comme ceci ou comme cela, il aimait telle chose,
telle autre... »

Je l'imaginais au centre d'un kaléidoscope illuminant mes chagrins et mes inspirations.

Je pensais pendant mon adolescence que certains voulaient me faire payer d'avoir refusé de le renier. Quelle différence entre lui et ceux dont le cœur n'abrite que la violence.

Pour ma part, je m'efforçais de tendre une main fraternelle à tous ceux, quelles que fussent leurs idées, qui ne sont pas venus en ce monde pour vivre plus ou moins bien, mais qui ont su trouver des paroles de justice, de science, d'amour et de beauté.

C'est ce qu'aurait dit, pensais-je lorsque j'avais seize ans, cet homme dont je ne me rappelais que les mains tandis qu'il enterrait mes pieds dans le sable de la plage de Melilla.

2

Parmi les documents que j'ai trouvés cachés au fond du cagibi figurait ce dossier :

Madrid, 17 juillet 1939.

Année de la Victoire. Vive l'Espagne !
Arriba España !
Je certifie que Fernando Arrabal Ruiz, ex-lieutenant d'Infanterie (actuellement sous les verrous à la Prison Centrale de Burgos),

appartenant à la garnison de Melilla, a été arrêté le 17 juillet 1936 et enfermé au fort María Cristina de Melilla.

Le 12 août de la même année, il a été condamné à mort selon l'arrêté portant cette même date (dossier numéro 359 de cette même année 1936).

Il se trouvait dans cette situation jusqu'à la fin du mois de mai 1937, où il a été condamné à la réclusion perpétuelle le 7 du même mois, après son transport au Peñón del Hacho à Ceuta.

Cette sentence fut approuvée par les
Autorités Judiciaires à la date du 17 mai
1937...

Grâce à ce document j'appris, à quinze ans, que
mon père avait passé dix mois condamné à mort
dans l'attente de son exécution. D'abord dans un
cachot à Melilla, puis dans un autre à Ceuta.
Tous les matins il aurait pu faire partie du groupe
des fusillés. Le général Romerales, chef militaire de
Melilla, et certains de ses compagnons, furent
immédiatement exécutés. Mais lui n'était qu'un
jeune lieutenant fraîchement émoulu de l'Ecole
militaire. C'est peut-être cette circonstance qui lui a
sauvé la vie.
Après des années de recherches infructueuses,
j'ai pu avoir enfin entre mes mains le dossier du
second procès fait à mon père :

Sentence.
A Ceuta, sept mai mil neuf cent trente-
sept, le Conseil des Officiers Généraux
s'est réuni pour examiner le présent
procès intenté au lieutenant Fernando
Arrabal Ruiz accusé du délit de rébellion
militaire ;
    attendu qu'il a été prouvé que le lieu-
tenant Fernando Arrabal Ruiz était connu
pour ses idées extrémistes et que, à
une époque précédant immédiatement le
mouvement militaire, il entretenait
d'étroites relations avec des éléments
révolutionnaires notoires de Melilla,
comme le prouve le fait d'avoir qualifié
un repas d'officiers favorables à une
Espagne d'ordre de « réunion fasciste » ;

attendu que ledit accusé manifestait ostensiblement son admiration pour les organisations révolutionnaires ;

attendu, comme il est attesté par des documents, que le dix-sept juillet vers sept heures du soir et l'état de guerre étant décrété à Melilla, alors qu'il se trouvait en conversation avec plusieurs officiers de la Caserne (l'un d'eux évoquant l'arrivée à Melilla des Forces du Tercio et des Regulares fidèles à la Nouvelle Espagne), il a déclaré que si ces forces ne prenaient pas les devants les jeunesses révolutionnaires ne perdraient pas la partie car elles étaient bien préparées, ce qui eut pour effet qu'on l'ait rappelé à l'ordre en le maintenant à l'écart et sous surveillance, sur ordre du Commandant du susdit Corps Monsieur A., qui avait écouté ces propos ;

attendu que l'accusé (bien qu'ayant observé une attitude correcte jusqu'aux environs de dix heures du soir toujours dans la même caserne) a déclaré au capitaine F. qu'il souhaitait être détenu car il ne concevait pas d'autre gouvernement que celui de Casares Quiroga (Premier Ministre d'une République Espagnole félonne) et a bientôt été arrêté ;

attendu les faits relatés dans le paragraphe précédent, compte tenu des relations que le lieutenant Arrabal Ruiz entretenait avec des éléments révolutionnaires notoires de la ville et vu son refus de se joindre au Mouvement National pour le Salut de l'Espagne, même s'il n'a été fait concrètement que devant un supérieur, il s'agit d'actes qui, appréciés dans leur ensemble, constituent un délit d'adhésion à la rébellion parmi ceux inclus dans le deuxième paragraphe de l'article n° 4 de l'ordonnance de déclaration de l'état de guerre, du dix-sept juillet dernier ;

attendu que l'attitude du susdit accusé constitue une adhésion au moins indirecte à la politique révolutionnaire du Front Populaire. Front qui à partir des dernières élections a fomenté en Espagne une authentique rébellion se manifestant par de constants actes de violence dus à de nombreux groupes armés appartenant au susdit Front Populaire, au mépris de tous les droits fondamentaux garantis par la Constitution ;

attendu que l'accusé susmentionné le lieutenant don Fernando Arrabal Ruiz est déclaré auteur responsable du susdit délit, étant âgé de plus de dix-huit ans et tombant ainsi sous le coup de la loi, sans que l'on puisse trouver des circonstances atténuant sa responsabilité, et vu que l'attitude du susdit accusé n'a engendré aucun trouble puisque ses déclarations explicites n'ont été faites qu'en présence d'un officier supérieur et sous la forme « refus de ses devoirs » ;

nous jugeons qu'il nous faut condamner et nous condamnons le lieutenant don Fernando Arrabal Ruiz à la peine de réclusion à perpétuité ainsi qu'à la perte de son grade et de tous ses droits civiques pendant la durée de la peine, compte tenu de toute détention préventive.

Le tout conformément aux préceptes cités et à tous autres d'application générale du Code Militaire et du Code Pénal ordinaire.

Ceuta, 14 mai 1937- signé « Pedro T. »

Il y a un cachet sur lequel on lit : « Forces Militaires du Maroc ».

Décret d'approbation. Conforme.

Signé « Antonio L. »

3

La guerre civile espagnole commença le 18 juillet 1936. La plupart des livres d'histoire s'en tiennent à cette date.

Cependant, à Melilla (au nord de l'Afrique), les militaires insurgés, par un concours de circonstances, furent obligés d'avancer d'une journée la date de leur soulèvement.

J'avais écrit ce récit :

MELILLA, VENDREDI, 17 JUILLET 1936
Malheur aux vaincus!
Tite-Live.

7h : 00'

Le lieutenant Arrabal se rasa chez lui, à Melilla, pour la dernière fois. Et pour la dernière fois aussi il contempla sa femme endormie. Lors de leur inoubliable première rencontre, au Rond-Point de Ciudad Rodrigo, elle resplendissait malgré son timide sourire. Avec quel charme sa brune chevelure vaporeuse faisait ressortir le bleu de ses yeux!

7h : 15'

Le lieutenant-colonel Seguí, chef clandestin du coup d'Etat à Melilla (comme le général Franco aux Canaries), déclara :
– Nous rétablirons l'ordre et la justice d'une main de fer... comme le réclame l'immense majorité des Espagnols.

7h : 30'

Pour la dernière fois de sa vie le lieutenant Arrabal revêtit son uniforme. Avec ses insignes militaires. Il sentait, émanant de sa femme endormie, comme une mousse d'étincelles.

7h : 45'

Seguí précisa le plan de l'insurrection à Melilla :
– Ici et dans toute l'Espagne, elle commencera demain à dix heures du soir.

9h : 15'

Le lieutenant Arrabal, avant de partir, embrassa sa femme endormie. Et, presque comme au premier jour où il la vit, il se sentit tel un naufragé, le souffle coupé.

12h : 05'

Avec son ami le lieutenant Carrasco, Arrabal contempla son tableau :
– Ma technique est loin d'être au point !
– Bordel de merde ! Tu es un peintre de première bourre. Quel portrait ! Dommage que tu sois si extrémiste !
– Et toi si réactionnaire ! plaisanta Arrabal.

– Moi, réactionnaire ? Je suis un révolutionnaire comme Mussolini ! Nous, on est pour une révolution nationale-syndicaliste. On défend les ouvriers. Comme personne. Pas comme toi qui, par inconscience et comme un nouveau Job, traites les soldats les plus anarchistes comme si c'étaient tes frères.

*

[Le lieutenant Arrabal passa l'après-midi à peindre à l'huile le fort de María Cristina sans imaginer que cette même nuit il allait être incarcéré dans ses cachots souterrains.

– Comme je regrette qu'au lieu de participer à cette éclosion moderniste de Melilla certains de mes camarades, par patriotisme mal compris, s'enferment dans le cloaque de la conspiration.

Le secret de Melilla, selon Arrabal, résidait dans sa capacité d'intégrer en son sein des sagesses et des univers variés. A Melilla, on pouvait suivre avec la même dévotion le Yom Kippour juif, la fête du Holim hindou, le Ramadan musulman et le Noël chrétien.

Le lieutenant Arrabal avait vu pousser les édifices réalisés par des disciples de Gaudí. Cubisme et futurisme, stridentisme et créationnisme, surréalisme et expressionnisme, néo-roman et néo-gothique, modern style et art déco, surgissaient sur les façades de la ville, telle une palette où s'harmoniseraient les contraires.

– Quelle belle devise ! Et qu'ont à gagner certains de mes camarades de l'Armée à conspirer pour que la moitié de l'Espagne se dresse contre l'autre ?

L'animal fabuleux des armoiries de Melilla, plus que « l'effroyable monstre » que le duc de Medina

Sidonia avait égorgé d'un coup d'épée, lui rappelait un autre dragon : celui de l'intolérance.

Face aux rumeurs de pronunciamiento, il aurait aimé pouvoir s'écrier comme don Quichotte en présence d'un vrai lion : « Des petits dragons... à moi ? »]

16h:00

Le début de la guerre civile espagnole allait commencer vingt-sept minutes plus tard à la Commission géographique des Frontières. C'était une petite construction rectangulaire entourée d'un patio sur trois de ses côtés.

Les quinze conjurés étaient réunis dans l'une des pièces. Le lieutenant-colonel Seguí dit :

– Les pistolets qui vous sont destinés, chers amis phalangistes, se trouvent dans ces deux caisses. Mais n'oubliez pas, toujours sous le commandement de l'Armée.

16h:05'

Le général Romerales déclara d'un air martial :

– Lieutenant Zaro, avec votre section de gardes d'assaut je vous ordonne de fouiller la Commission géographique des Frontières. Un chargement de pistolets destinés aux factieux est caché dans ses locaux. Il vous faut comprendre l'importance et la gravité de votre mission. Nous allons tuer dans l'œuf... un autre pronunciamiento.

16h:20'

Zaro à la tête de quinze gardes d'assaut entra dans la cour de la Commission géographique des Frontières.

Seguí distingua leurs ombres derrière le store baissé.

– Merde ! Les souris. Ils viennent nous chercher. Quelqu'un a mouchardé.

– Il faut leur barrer le passage. Téléphonez à la Légion. Il faut qu'une patrouille armée vienne nous délivrer.

La section du lieutenant Zaro était arrivée jusqu'à la porte. La sentinelle, surprise, ne savait quelle attitude adopter.

Le colonel Seguí sortit en souriant :

– Bonjour, lieutenant Zaro. Quelle est la raison de votre présence ?

– Mon colonel, j'ai ordre de fouiller ces locaux.

– Pour quelle raison ?

– Mes hommes et moi ne faisons que notre devoir.

– Je n'en doute pas, lieutenant. Mais avez-vous un ordre écrit ?

– C'est le général Romerales lui-même qui m'a verbalement donné...

– Lieutenant, permettez-moi de lui téléphoner personnellement.

16h:25'

La patrouille de légionnaires se dirigea vers la Commission géographique des Frontières.

Ils arrivèrent au pas de course.

Les vingt hommes étaient armés. Grenades à la ceinture. Les fusils chargés. Prêts à tirer.

16h:26'

Le colonel Seguí, faisant traîner les choses, téléphonait au général Romerales.

– Mon général, est-il vrai que vous avez donné l'ordre de fouiller les locaux de la Commission des Frontières ?

– En effet.

– Il n'y a ici que... des cartes !

– Je le sais bien. Mais la fouille doit être menée à bien par le lieutenant Zaro, comme je le lui ai demandé. Je vous prie de faciliter la tâche des gardes d'assaut... C'est un ordre !

16h:27'

Les vingt légionnaires putschistes entrèrent dans la cour de la Commission. Ils se trouvèrent nez à nez avec les seize gardes d'assaut fidèles au gouvernement légal. Pendant quelques secondes, les deux groupes, immobiles, face à face, semblaient attendre un ordre.

Le lieutenant de la Légion cria avec force :

– Légionnaires, mettez en joue les gardes d'assaut.

Le lieutenant Zaro tenta de s'interposer :

– Mon lieutenant, êtes-vous devenu fou ?

– Si vous ou l'un d'entre vous fait un seul pas, mes légionnaires lui feront sauter la cervelle.

– Comment pouvez-vous imaginer que l'un de mes hommes va tirer sur un soldat espagnol ?

Un silence de dix secondes régna dans la cour. Puis, avec énergie, le lieutenant de la Légion ordonna aux gardes d'assaut :

– Déposez vos armes, tout de suite !

Les gardes jetèrent toutes leurs armes à terre.

L'un d'eux implora :

– Je vous en supplie... Ne me tuez pas... Je suis père de famille.

16h:28'

Tandis qu'il peignait le fort María Cristina, le lieutenant Arrabal ne pouvait imaginer que le premier acte de la guerre civile espagnole venait de s'achever.

18h:32'

Seguí décréta la loi martiale et l'état de guerre à Melilla. Une patrouille placarda, comme prévu, sur les murs de la ville, le décret du général Franco.

19h:01'

Le lieutenant Arrabal apprit enfin le soulèvement grâce au lieutenant Carrasco. Pour la dernière fois il parla à son ami.
– Je ne crois pas que vous ayez gagné. Les partis démocrates et les gens de la Maison du Peuple...
– Artiste! réveille-toi!
– La majorité démocratique finira par s'imposer.
Le commandant Arnaiz et le capitaine Ferreiras firent irruption dans la pièce par surprise.
– Lieutenant Arrabal! Je viens d'entendre vos impertinences. Alors que l'Armée est en train de rétablir le principe d'autorité, vos propos sont une provocation insupportable pour un patriote.
Le lieutenant Carrasco intervint :
– Mon commandant, je vous en prie, le lieutenant Arrabal est un peintre. Il est dans la lune. Il ne se rend pas compte de ce qu'il dit, ni de l'importance de ses paroles. Je m'en porte garant, c'est quelqu'un de bien.
– Capitaine Ferreiras, emmenez le lieutenant Arrabal dans la salle des Drapeaux du bataillon.
– Vous verrez mon commandant – dit le lieutenant Carrasco –, quand il aura réfléchi, il se joindra à notre cause.
– Je l'espère, Carrasco.
Il se retourna et dit, l'air martial :

– Lieutenant Arrabal, vous êtes momentanément démis de vos fonctions, et sous surveillance. Considérez que nous vous accordons un traitement de faveur.

22h:05'

Le lieutenant Arrabal, toujours enfermé dans la salle des Drapeaux de son bataillon, appela son gardien, le capitaine Ferreiras :

– Mon capitaine, faites savoir au commandant Arnaiz que je refuse de faire partie de l'insurrection contre l'Etat.

– Lieutenant Arrabal... je vous prie de retirer ces paroles suicidaires.

– Pour moi il n'y a pas d'autre gouvernement que celui librement élu par le peuple.

– Vous rendez-vous compte des conséquences tragiques que peut entraîner votre déclaration ?

– Mon capitaine, je ne souhaite pas continuer à jouir d'un traitement de faveur. Conduisez-moi en prison comme les autres.

– Lieutenant, vous allez vous en repentir si vous ne changez pas d'opinion.

– Si c'était nécessaire, je suis prêt à mourir... passé par les armes.

4

A Madrid j'avais l'impression de ne pas pouvoir respirer. Peu à peu je devins tuberculeux. J'écrivais presque tous les jours dans un cahier que j'avais appelé *Journal du sanatorium*. J'ai commencé à le rédiger précisément le lendemain d'une visite à ma mère au cours d'une permission. J'ai choisi de dire « elle ». Je ne pouvais écrire ni mère ni maman.

Les souvenirs m'arrivaient en désordre : tantôt je revoyais les trois premières années de ma vie à Melilla, tantôt mon enfance à Ciudad Rodrigo, entre ma troisième et ma dixième année, ou encore l'époque vécue à Madrid, de l'âge de dix ans jusqu'au moment où j'étais tombé malade.

JOURNAL DU SANATORIUM

(Il ne comporte pas de dates. Je l'écrivais presque tous les après-midi pendant la « cure de sommeil ».)

Madrid

Je venais d'avoir quinze ans lorsque j'ai découvert la boîte en carton. Mais il n'y avait pas non plus de photos de papa. La boîte se trouvait au fond de la malle. Il n'y avait que la pipe « Dr Plumb » et un paquet de lettres et de documents. Comme « elle » était au bureau, « elle » ne m'a pas vu entrer dans le petit cagibi ni ouvrir la malle avec la clé de l'armoire de cuisine.

La pipe « Dr Plumb » est longue, avec un fourneau assez large. Je pensais que pour avoir une pipe aussi grande, papa devait être un homme magnifique. Dans la malle, près de la boîte, il y avait aussi un portefeuille vide.

Je me souviens... l'homme m'enterrait les pieds dans le sable. Je me souviens... de ses mains sur mes jambes et du soleil de la plage à Melilla.

Quand j'ai ouvert la malle, j'ai senti l'odeur des boules de naphtaline. Des couvertures étaient étendues sur le dessus. Au fond, il y avait la boîte en carton avec la pipe « Dr Plumb ». Comme « elle » était au bureau, je l'ai prise et l'ai cachée dans mes affaires. Je pense que peut-être papa s'était acheté une pipe aussi belle que la « Dr Plumb » pour que je me souvienne de lui en la tenant entre mes lèvres.

Sanatorium

Le médecin a prescrit du rémifon, du PAS et de la streptomycine. Quand l'infirmière entre, je me retourne et je baisse mon pantalon de pyjama. Pendant qu'elle me fait la piqûre, je me pince la taille de toutes mes forces. Puis l'infirmière s'en va, et je lui écris à « elle ».

Le médecin m'a donné une permission et je suis allé la voir un après-midi, à Madrid. Elle m'a reçu dans la salle à manger, les fenêtres fermées et les persiennes baissées.

A présent, dans ma chambre, j'écris.

Comme le médecin me laisse fumer, je me sers de la pipe « Dr Plumb ». De la fenêtre, je regarde la pluie. J'entends aussi s'écouler l'eau de la gouttière. J'attends que la cloche sonne pour descendre dîner, et j'écris.

Le médecin a dit que je me repose ; et je me repose. Le médecin a dit que je peux descendre prendre les repas dans la salle à manger maintenant ; et je descends. Le médecin a dit que je devrais rester encore un an ici ; et je resterai. Le médecin me permet d'écrire pendant la cure de repos, l'après-midi ; et j'écris maintenant.

Madrid

Les pigeons tourbillonnaient autour de nous.

« Elle », derrière moi, me regardait m'agenouiller et leur donner des miettes de pain dans le creux de ma paume.

Quand un pigeon se posait sur ma main, je me redressais doucement pour ne pas l'effaroucher. Ils tourbillonnaient tant autour de nous que nous craignions de les écraser en marchant.

Et, un jour, alors que j'allais lui présenter ce pigeon qui n'avait pas peur, pour qu'elle le caresse, je l'ai surprise regardant ailleurs. C'est alors que l'oiseau s'est envolé.

Madrid

Elle a dit plus fort qu'il n'avait pas le droit de compromettre son avenir et celui de son fils.

– Ce n'est pas moi qui ai compromis l'avenir de mon fils, mais lui. Et ce n'est pas faute de l'en avoir averti. Vois la différence : moi toujours attentive à tes moindres désirs, prête à toutes sortes de sacri-

fices, et lui, sans se soucier de toi un seul instant,
compromet son avenir et non seulement le sien,
mais encore celui de son fils, pour ses idées. Tout a
été détruit par lui : le bonheur, la famille, la maison.
Il a tout dévasté. Voilà pourquoi ma vie n'a été
qu'une lutte désespérée – tu ne sais pas au prix de
quels sacrifices ! – pour reconstruire tout ce qu'il
avait détruit !

Sa voix résonnait dans l'obscurité de la chambre.
Assis sur une chaise, à sa gauche, je l'écoutais.

– En tant que père, il devait d'abord s'acquitter
de ses devoirs de chef de famille. Et son devoir était
de se placer du côté de l'ordre, de la modération.
Mais il a choisi le côté de l'anarchie, le côté du
désordre. Combien de fois l'en ai-je avisé ! Combien
de fois lui ai-je répété qu'il lui fallait abandonner
ses coupables idées ! Combien de fois ! Tu ne peux
pas comprendre tout cela. Tu n'étais alors qu'un
enfant.

Les cartes s'alignaient sur quatre rangées. Elle en
avait un paquet dans la main et un autre, retourné,
sur la table.

– S'il avait fait son devoir, maintenant il serait du
côté des vainqueurs. Aujourd'hui, il serait un père
comme les autres. Mais il a tout compromis pour ses
idées. Tout, absolument tout : son avenir, celui de
sa femme et de son enfant. Que de fois l'en ai-je
prévenu ! Combien de fois lui ai-je fait voir, à
Melilla, qu'il ne devait pas prendre part à des actes
scandaleux pour un père de famille dont le devoir
est de respecter l'ordre ! Que de fois, mon Dieu,
que de fois ! Tu ne peux pas comprendre tout cela,
tu n'étais alors qu'un enfant.

Derrière la fenêtre fermée, il y avait les persiennes vertes. A travers les carreaux de la fenêtre
on en voyait les reprises.

Elle a dit plus fort qu'il n'avait pas le droit de compromettre son avenir et celui de son enfant. Je l'ai regardée, mais elle ne me voyait plus.

Melilla, Ciudad Rodrigo, Madrid

Comme je suis parti de Melilla quand je n'avais que trois ans, je ne me souviens de presque rien. C'est elle qui m'a tout raconté. Ces choses-là, elle me les a répétées souvent. Je me souviens d'autres encore qu'elle ne m'a pas racontées.

Comme je suis parti de Ciudad Rodrigo à l'âge de dix ans, je me souviens de presque tout. Comme elle travaillait à la ville, pendant que nous habitions à Ciudad Rodrigo, je lui ai raconté bien souvent des choses qui s'y étaient passées et qu'elle n'avait pas vues.

Ensuite, nous avons habité Madrid jusqu'à ce que j'arrive ici, au Sanatorium. Comme grand-père et grand-mère sont morts peu après notre arrivée, nous sommes restés seuls, elle et moi.

Quand on m'en a donné la permission, je suis allé la voir un après-midi. Elle m'a reçu la fenêtre fermée et les persiennes baissées. Quand je suis parti, elle m'a embrassé à la porte dans l'obscurité pour ne pas consommer tant d'électricité.

Ciudad Rodrigo

Nous allions à la muraille et nous sautions les créneaux l'un derrière l'autre. Ceux qui se trouvaient près du château étaient étroits et nous les sautions tous à la file. Comme ceux qui tournaient le dos à l'église étaient larges, nous ne pouvions pas les sauter. Puis, par le mur du pont-levis, nous descendions dans les douves.

Du haut de la muraille nous pouvions voir les premiers instants de l'arrivée des taureaux et aussi les voitures des Français qui, en caravane, fuyaient en direction du Portugal. Des douves, on voyait tout en haut le ciel et les corbeaux qui tournoyaient autour du château.

Dans les douves, nous jouions aux taureaux et au fouet. Au fouet, il fallait jouer avec un osselet. Celui qui le faisait retomber sur la partie convexe était le bourreau, celui qui le faisait retomber sur le dos « passait », et celui qui le faisait retomber sur la partie concave recevait autant de coups de fouet de la main du bourreau qu'il plaisait au roi.

Comme grand-mère m'avait défendu de jouer dans les douves, j'essayais de ne pas le faire. Comme mes amis m'appelaient fille si je ne me joignais pas à eux, j'essayais de les suivre.

Madrid

– Je n'ai fait que me sacrifier pour toi, toujours. Si quelquefois je n'ai pas su m'y prendre aussi bien qu'il le fallait, ne pense pas que ce fut par mauvaise foi, mais...

Elle a marqué un temps d'arrêt. Elle a soupiré.

– Je ne suis qu'une pauvre femme sans instruction qui a fait tout ce qu'elle a pu pour toi. J'ai toujours été l'esclave de tes moindres désirs. Connais-tu d'autres mères qui en aient fait autant ?

La première rangée comprenait le roi de carreau, la dame de trèfle, le valet de pique, le sept de carreau, le six de cœur et le cinq de carreau.

– Cite-m'en une seule.

Comme la fenêtre était fermée, les voisins n'entendaient pas ce qu'elle me disait. Derrière la fenêtre il y avait les persiennes vertes avec des ficelles au milieu pour les lever en les enroulant.

– Quand m'as-tu vue, comme les autres femmes, me distraire ou m'acheter une fantaisie qui me plaisait, aller au cinéma ou au théâtre ? Et tu sais bien que j'aimerais assister aux premières, et, pourtant, quand m'as-tu vue dépenser un sou pour y aller, même une seule fois ?

La deuxième rangée comprenait le valet de cœur, le sept de pique, le six de trèfle, le cinq de cœur et le quatre de pique.

– Je n'ai jamais rien dépensé pour moi. Jamais. Et pourtant, combien de femmes de mon âge s'amusent, dépensent leur argent en toilettes, en bijoux, en parfums ! Tu ne connais rien à la vie, tu ne sais pas quel train mènent les gens. Mais moi je n'ai rien fait de tel, non parce que je n'aurais pas aimé le faire, mais parce que j'ai préféré me sacrifier totalement pour toi. Jour et nuit, je n'ai fait que chercher ce qui pourrait t'être agréable pour te le donner. Et si quelquefois je n'ai pas agi comme j'aurais dû le faire, je te répète que tu dois le mettre sur le compte de mon manque d'instruction et d'intelligence. Je n'ai été qu'une pauvre femme qui est bien vite restée sans mari et qui, sans personne pour la conseiller, a dû faire face à une situation très délicate dont elle n'a pu se sortir que grâce à son travail.

Comme les persiennes étaient baissées, les voisins ne l'ont pas vue pendant qu'elle me parlait.

Melilla

Un homme m'enterrait les pieds dans le sable. C'était sur la plage de Melilla. Je me souviens de ses mains sur mes jambes et du sable de la plage. Ce jour-là il faisait du soleil, je m'en souviens.

Dans une enveloppe elle garde un paquet de photos que j'ai regardées quelquefois. Certaines sont de couleur sépia. Il s'agit sans doute d'un vieux procédé de photographie. Beaucoup portent une signature illisible, mais je sais maintenant à qui elles appartiennent. Souvent au-dessus il y a une date, parfois une phrase explicative. Sur presque toutes on peut nous voir, elle et moi : elle me porte dans ses bras, elle me tient par la main, elle m'aide à manger. D'autres ont une moitié découpée, ou bien il leur manque un morceau.

Elle m'a dit que je marchais derrière elle, agrippé au pan de sa jupe. Elle m'a raconté qu'un jour j'ai dit « fait pipi » au milieu de la pièce et que, la traînant jusque-là, j'ai ajouté :

– Ouah, ouah.

Elle m'a répété ces choses-là bien souvent. Je ne me souviens d'aucune d'elles. Je me souviens d'autres choses : d'un vendeur ambulant qui, un matin, apporta des œufs et les plongea un par un dans un seau rempli d'eau; d'une nuit où j'ai grimpé avec elle l'échelle d'un bateau, et des mains de l'homme et de mes pieds enterrés dans le sable.

J'ai aux lèvres la pipe « Dr Plumb ». Je fume du tabac bon marché, ici on l'appelle gris. Comme il était un peu sec hier, j'ai mis dans ma blague quelques écorces d'orange. Aujourd'hui, quand j'y plonge les doigts, je sens que le tabac est frais. Comme la pipe est assez culottée, lorsqu'elle est éteinte il s'en dégage une odeur qui me plaît. Je n'avale pas la fumée; je n'ai pas appris à le faire. J'ai essayé quelquefois avec des cigarettes, mais je n'ai pas pu. La pipe est la « Dr Plumb » de papa. Peut-être, avec elle sur sa table, a-t-il tenté de se suicider en prison.

Madrid

Elle me l'a très bien expliqué, et je lui ai dit « oui, maman ». Alors elle m'a embrassé.

Quand elle m'a donné sa photo que je voulais mettre dans mon portefeuille, sous le *mica*, elle me l'a dédicacée.

« A mon fils chéri, aviateur en herbe. »

Elle m'a tout expliqué très bien et je lui ai dit oui. Elle m'a dit que l'uniforme est très chic et que les filles tombent toujours amoureuses des jeunes officiers et que je serais l'honneur de la famille. Moi je lui ai dit oui. Et elle m'a embrassé.

Elle m'a dit que c'était son rêve et qu'elle serait très fière de marcher à mon côté. Alors moi je lui ai dit oui.

Quelques jours plus tard je lui ai dit non. Elle, elle m'a dit *qu'elle* me mettrait à la porte et elle m'a appelé poule mouillée. Alors je lui ai dit « oui », maman. Et elle m'a embrassé.

Madrid

Nous mangions à table. Elle était en face de moi. Derrière elle il y avait la photo de tante Clotilde, et aussi, sous le verre, deux petites photos de grand-père et grand-mère. Quand mon genou la touchait, je le retirais.

Elle mangeait assise dans son fauteuil, et entre deux plats elle s'appuyait sur le dossier. A sa droite se trouvait la radio et au-dessus la statue du Sacré-Cœur-de-Jésus posée sur son napperon. De son fauteuil elle pouvait régler le poste.

« Elle » se redressait pour manger, et quand elle riait, deux fossettes creusaient ses joues. La radio reposait sur l'ancienne table de nuit de grand-mère. Dans le tiroir de la table – où celle-ci rangeait ses médailles, ses petits livres de messe, ses pastilles –, « elle » mettait maintenant son jeu de cartes, un grand agenda et des papiers. Dans le bas de la table de nuit – où grand-mère mettait son pot de chambre –, « elle » rangeait maintenant le bottin.

Elle me coupait du pain et je versais de l'eau dans son verre.

Sanatorium

Lorsque j'ai fumé, je vide la cendre dans le cendrier. Je dois tapoter la pipe plusieurs fois. Puis je l'approche de mon nez et je respire l'odeur du fourneau. Je la respire longtemps.

A côté du cendrier, j'ai une grande boîte d'allumettes comme celle qu'elle avait dans la cuisine. Il y a aussi la blague à tabac en plastique.

Cette pipe, c'est la « Dr Plumb ».

On m'a dit de ne pas le faire. Une fois par semaine je lave la pipe dans le lavabo. Je ne lave pas le fourneau, mais le filtre. La nicotine tache mes mains. On m'a dit de ne pas le faire.

Le fourneau de la pipe est maintenant très culotté. Une croûte s'est formée à l'intérieur. C'est pourquoi je peux de moins en moins la bourrer.

Cette pipe, c'est la « Dr Plumb ».

La nuit, je la laisse dans le cendrier, près des allumettes et de la blague en plastique. Le matin, quand je me réveille, je ne fume jamais. Je commence à fumer après le petit déjeuner. Je fume toujours du tabac bon marché qu'on appelle gris.

Le fourneau se recouvre peu à peu d'une croûte. Elle est si épaisse qu'il arrive un moment où le tabac ne tient presque plus. C'est pourquoi je gratte l'intérieur jusqu'à ce que j'aie enlevé toute la couche. Alors, quand je me remets à fumer, ce n'est plus la même chose.

Cette pipe, c'est la « Dr Plumb » de papa.

Madrid

A Madrid, nous ne pouvions plus tuer tous les ans le cochon comme à Ciudad Rodrigo. A Madrid, il n'y avait pas de glands pour engraisser le cochon.

A Madrid, il n'y avait pas de murailles comme à Ciudad Rodrigo. A Madrid, il n'y avait plus de place pour construire les murailles.

A Madrid, il n'y avait pas de château comme à Ciudad Rodrigo. A Madrid, il n'y avait pas de corbeaux à mettre dans le château.

Ici, il n'y a pas non plus de cochons, ni de murailles, ni de château. Ici, comme on ne voit presque jamais le soleil et qu'il pleut beaucoup, il n'y a ni cochons, ni murailles, ni château.

A Madrid, il n'y avait pas de coquelicots dans les champs comme à Ciudad Rodrigo. A Madrid, il ont oublié de porter des coquelicots dans les boutiques des fleuristes.

A Madrid, il n'y avait pas de douves comme à Ciudad Rodrigo pour que les hommes puissent pisser. A Madrid, les hommes pissent chez eux.

A Madrid, les ânes ne se promènent pas librement dans la rue comme à Ciudad Rodrigo. A Madrid, il n'y avait qu'un âne qui faisait le tour de la place d'Orient avec les enfants.

Ici, je n'ai encore vu ni coquelicots, ni ânes, ni douves. Ici, de temps en temps, nous pissons dans un grand verre que l'infirmière emporte pour faire une analyse.

Madrid

La dernière fois que je suis allé la voir elle était seule à la maison. Elle avait baissé les persiennes de la pièce. Il n'y avait presque pas de lumière dans la salle. Je me suis assis à tâtons. Elle m'a dit :

– Attends, je vais fermer les fenêtres, je ne veux pas que les voisins nous entendent.

Bientôt, j'ai pu distinguer qu'elle était assise dans le fauteuil. Une large planche qui reposait sur les deux accoudoirs lui servait de table. Elle était appuyée contre le dossier, mais la planche se trouvait près de sa poitrine.

Elle m'a parlé pendant une heure. Comme les fenêtres étaient fermées, les voisins n'ont pas entendu ce qu'elle m'a dit. Comme les persiennes étaient baissées, les voisins n'ont pas vu qu'elle pleurait et que, de temps en temps, elle essayait de m'embrasser et de me prendre dans ses bras.

Puis j'ai pu distinguer ce qu'elle avait posé sur la planche qui lui servait de table. Elle faisait une réussite. Grand-mère disait que son père, sur ses vieux jours, en faisait aussi et que, pour gagner, il trichait avec lui-même.

Pendant qu'elle me parlait, j'ai pu distinguer qu'elle avait les cheveux gris. J'ai pensé qu'elle ne les teignait plus. Avant, quand elle les teignait dans le lavabo, je l'aidais à apporter tout le nécessaire.

Quand je me suis apprêté à partir, elle n'a pas voulu allumer la lumière du couloir pour ne pas brûler trop d'électricité. Et moi, dans l'obscurité, je l'ai embrassée près de la porte. Et elle, dans l'obscurité, elle m'a embrassé près de la porte et elle m'a serré dans ses bras.

Sanatorium

Quand je grimpe sur le rocher du parc aux heures de liberté, je reste debout et je regarde parfois l'horizon. Puis quand je rentre dans ma chambre je me mets au lit et j'attends. Souvent il pleut – aujourd'hui aussi il pleut – et j'entends s'écouler l'eau de la gouttière, de ma chambre.

Autrefois, je n'avais pas le droit d'aller dans le parc, donc je ne pouvais jamais grimper sur le rocher et regarder parfois l'horizon. Maintenant, aux heures de liberté, je vais dans le parc et je fais une promenade jusqu'à ce que j'arrive au rocher.

Autrefois, on ne me laissait pas fumer, mais maintenant on me laisse ; c'est pourquoi je fume la pipe « Dr Plumb ». Après dîner je fais un tour dans le parc puis je me mets au lit.

L'infirmière, le premier jour, a ri quand elle a vu que je m'étais mis le thermomètre dans la bouche. Elle m'a dit que je devais prendre ma température dans le rectum, et elle a ri.

Autrefois, je mangeais au lit, mais maintenant je mange dans la salle à manger. Après le repas je fais une promenade dans le parc jusqu'au rocher. Je grimpe dessus et je regarde parfois l'horizon.

Quand je rentre dans ma chambre, je me mets au lit et j'attends.

Ciudad Rodrigo

J'ai pensé que je pouvais commencer par dire : « Ma maman est une fleur » ; ou bien : « Ma maman est une rose ». La sœur m'a dit que c'était bien. Je lui ai demandé si c'était mieux avec la rose ou avec la fleur. La sœur m'a dit qu'avec la fleur.

J'ai pensé que je pouvais commencer par dire :
« Ma maman est la plus jolie des fleurs. » La sœur
m'a dit de ne plus toucher au premier vers et de
chercher le second. Je me suis mis à penser au
deuxième vers.

J'ai pensé que je pouvais dire : « Ma maman est la
plus jolie fleur – et je l'aime plus qu'un moteur. » Je
l'ai lu tout fort et j'ai vu que cela rimait. La sœur
m'a dit que c'était trop prosaïque.

« Ma maman est la plus jolie fleur – et je l'aime
de tout mon cœur » ; « Ma maman est la plus jolie
fleur – que Dieu lui donne du bonheur » ; « Ma
maman est la plus jolie fleur – de l'Espagne à
l'Equateur ». La sœur a choisi : « Ma maman est la
plus jolie fleur – que Dieu lui donne du bonheur. »

Quand elle est arrivée à Ciudad Rodrigo, elle a lu
mon poème dans la salle à manger. J'avais très
chaud à la figure. Puis elle m'a embrassé. Je l'ai
appris par cœur. Je ne l'ai pas oublié :

> *Ma maman est la plus jolie fleur,*
> *que Dieu lui donne du bonheur,*
> *Je l'aimerai plus chaque jour*
> *et je m'en souviendrai toujours.*

Et elle... s'en souvient-elle ?

Ciudad Rodrigo

Le château de Ciudad Rodrigo se dresse près de
la grande porte de la muraille. Les corbeaux
venaient s'y réfugier. Et quand mes amis lançaient
un pétard, ils tournoyaient à l'intérieur puis
s'échappaient. Je n'y suis jamais entré tout seul.

Elle m'a dit que le château de Ciudad Rodrigo
avait été construit par le roi Henri de Trastamare

pour se défendre des Maures. Tout l'intérieur était vide et il ne restait plus qu'une plate-forme au milieu et des escaliers pour monter jusqu'à la terrasse.

Le château de Ciudad Rodrigo était plus haut que les plus hautes maisons du village. Le château de Ciudad Rodrigo était divisé en deux, comme si un gigantesque dé creux en pierre reposait sur un autre plus grand.

Même quand il faisait du soleil, l'intérieur du château de Ciudad Rodrigo était sombre. Quand j'y entrais avec mes amis, on entendait croasser les corbeaux sur les murs. Je n'y suis jamais entré seul.

Grand-mère disait que pour faire passer ma peur elle me laisserait toute une nuit dans le château.

Madrid

Son fauteuil, qui, avant, était tapissé d'une étoffe à fleurs, était maintenant d'un vert foncé. Quand mon regard s'est habitué à l'obscurité, j'ai pu m'en rendre compte.

– Toute une vie à me sacrifier pour toi, toute une vie. Naturellement, je savais bien qu'un jour non seulement tu ne me remercierais de rien, mais que tu en demanderais davantage. Tant pis, vois-tu : si ce que tu as toujours voulu c'est me faire souffrir, fais-moi souffrir. Je ne suis rien d'autre qu'une mère qui désire que son enfant ait toutes les satisfactions. Toutes, absolument toutes, même s'il doit y parvenir en brisant mon pauvre cœur de mère.

La statue du Sacré-Cœur-de-Jésus était toujours sur la radio. Sous le socle, il y avait le même napperon. Elle avait ajouté, cependant, deux vases avec des fleurs en chiffons : l'un à droite et l'autre à gauche du socle.

– Je n'ai pas pu faire plus que je n'ai fait. Dieu en
est témoin. J'ai essayé de faire du bien à tout le
monde, absolument à tout le monde, et surtout à toi
qui es ma raison de vivre. J'ai toujours essayé d'agir
comme il faut et je crois y avoir réussi. Je ne peux
pas dire que je n'aie jamais commis d'erreurs, mais
je veux que tu saches que lorsque cela m'est arrivé
c'était par négligence et que, dès que je m'en rendais compte, je me reprenais tout de suite.

Elle n'avait plus de téléphone mural. Elle avait
un téléphone de bureau avec un long fil. Alors,
quand il sonnait, sans se redresser, assise dans son
fauteuil, elle décrochait l'écouteur.

– L'Evangile dit que même le plus saint homme
pèche sept fois par jour. En ce cas, comment
aurais-je pu ne pas pécher, moi, pauvre mal-
heureuse ? Je n'ai pas la prétention d'être une
sainte, je ne peux pas arriver à une telle perfection,
je suis une pauvre femme qui a été élevée dans un
petit village de Castille. Je ne peux pas être une
sainte. Mais, tout de même, j'ai essayé de ne jamais
faire de mal.

La radio était toujours à sa droite sur la table de
nuit de grand-mère. Elle n'avait qu'à allonger le
bras, sans bouger de son fauteuil, pour changer
d'émission.

Sanatorium

Je fume la pipe « Dr Plumb ».
Peut-être fumait-il du tabac gris comme moi.
Peut-être n'avalait-il pas la fumée comme moi.
Peut-être mettait-il dans sa blague des écorces
d'orange comme moi.
Je fume la pipe « Dr Plumb ».
Elle ne fumait jamais. Grand-mère ne fumait pas
non plus. Grand-père était un homme, et jusqu'à sa

mort il a fumé des cigarettes. Grand-père les faisait lui-même pendant que nous disions le chapelet. Quand il y avait des courses de taureaux, grand-père fumait un cigare. Mais grand-père n'a jamais fumé la pipe.

Peut-être papa savait-il faire des ronds de fumée comme moi.

Je fume la pipe « Dr Plumb ».

Peut-être utilisait-il des allumettes et non pas un briquet comme moi.

Peut-être savait-il faire sortir la fumée par le nez comme moi.

Je fume la pipe « Dr Plumb ».

Je fume la pipe « Dr Plumb » de papa. Je fume toujours la pipe « Dr Plumb » de papa.

Madrid

Elle me disait de regarder ma silhouette dans la glace pour m'assurer que je me tenais bien droit. Elle s'asseyait sur une chaise et elle attendait. Quand j'entrais dans la chambre, je me regardais dans la glace puis je m'avançais vers elle et je lui baisais la main.

Elle me disait de ne prendre que le bout des doigts et alors je sortais de la chambre. Je rentrais et je me dirigeais vers elle qui était assise sur une chaise, après m'être regardé dans la glace. Puis je lui baisais la main sans faire de bruit et en ne prenant que le bout des doigts.

Elle me disait de ne pas lever la main, de me pencher sur elle. Je ressortais de la chambre et je rentrais aussitôt et, après m'être regardé dans la glace, je me plaçais en face d'elle et je lui baisais la main sans faire de bruit en me penchant et en ne prenant que le bout de ses doigts.

Elle me disait alors :

– Bien.

Mais quand les dames venaient lui rendre visite, je ne leur baisais pas la main. Elle me punissait, et moi, je lui disais :

– C'est... que j'ai trop honte de baiser des mains.

Ciudad Rodrigo

Ici, les enfants ne jouent pas aux taureaux. Ici, les enfants jouent à cache-cache, et mes camarades, pendant les heures de loisir, à la pétanque.

Quand le musicien, avec un cornet de papier, jouait de la trompette, nous, les toreros, nous partions d'un banc de la place Redonda à Ciudad Rodrigo. Aux accents de la musique, nous nous dirigions vers celui où se trouvait le président. Nous faisions une révérence et nous nous placions derrière le cercle de sable qui délimitait les arènes. Le président jetait la clé à l'alguazil et celui-ci, à cheval, faisait le tour de l'arène, la clé à la main. Puis on ouvrait la porte du toril et le taureau sortait.

Grand-mère m'avait fait une cape rouge. Grand-père m'avait donné un bâton qui me servait de muleta.

Le taureau ne pouvait tuer les toreros que s'ils se trouvaient à l'intérieur du cercle de sable. Il ne pouvait attaquer qu'en ligne droite et en direction de la cape.

Ici, les enfants ne jouent pas aux taureaux. Ici, ils jouent à cache-cache.

Le plus difficile, c'était de poser les banderilles, parce que alors le taureau s'élançait pour vous atteindre au corps. En posant les banderilles il m'a tué plusieurs fois, et alors au tour suivant, j'ai dû faire le taureau.

Certains trichaient : ils n'attaquaient pas en ligne droite et ne s'élançaient pas vers la cape, mais vers le corps du torero.

Grand-père m'a montré à faire des passes à la Chicuelo et des véroniques. Presque toujours, chaque fois que je faisais une passe à la Chicuelo ou une véronique, le taureau me tuait. Mais quand « elle » venait à la maison, dans le couloir, je faisais des passes à la Chicuelo et des véroniques, et elle me disait que c'était bien, et, parfois, que c'était très bien.

Madrid

« Esprit militaire nul », c'est ce qu'ils ont écrit dans mon carnet de notes. Elle m'a battu avec le mètre en bois. Je me suis enfermé dans la salle de bains. J'ai pleuré seul dans la salle de bains. Je me suis regardé dans la glace et j'ai pleuré.

Puis elle m'a dit que je devais faire un effort. Elle m'a demandé si je le ferais et je lui ai dit « oui ». Elle m'a dit que je devais lui faire le plaisir de réussir le concours d'entrée dans l'armée pour qu'elle puisse se promener avec moi en uniforme d'officier de l'armée de l'air espagnole et je lui ai dit que je lui ferais ce plaisir. Elle m'a dit que comme militaire j'aurais un brillant avenir et je lui ai dit « oui ».

« L'élève ne montre aucun intérêt pour l'armée », « Esprit militaire nul », « Esprit militaire nul », « Esprit militaire nul », « L'élève ne prend pas le moindre intérêt aux cours », « Esprit militaire nul », « Esprit militaire nul », « L'élève ne fait preuve d'aucune volonté d'amélioration », « Esprit militaire nul ». Tous les quinze jours, dans le carnet de notes, les professeurs écrivaient leurs appréciations ; voilà pourquoi je m'enfermais ensuite dans la salle de bains, et voilà pourquoi j'avais des bleus sur les bras et dans le dos que j'examinais dans la glace.

Quand elle me demandait après si j'allais être bon élève, rien que pour lui faire plaisir je répondais « oui ».

Ciudad Rodrigo

Quand nous avons quitté Ciudad Rodrigo pour Madrid, je l'ai porté à la main dans le train et il ne s'est pas abîmé.

Au début, je mettais beaucoup de personnages. Comme après je n'en mettais que quelques-uns, je pouvais les déplacer sans les heurter.

Je l'ai fait à Ciudad Rodrigo avec une boîte en carton. L'intérieur était éclairé par deux bougies dissimulées.

Au début, je mettais beaucoup de décors peints dans chaque pièce. Comme après je n'en ai gardé qu'un – juste ébauché –, elle n'avait plus à attendre que je les change.

J'interprétais tous les rôles en contrefaisant ma voix.

Au début, les personnages entraient et sortaient à chaque instant. Comme après ils n'entraient et ne sortaient presque plus, elle suivait mieux ce qu'ils disaient.

A Madrid, j'ai remplacé les deux bougies par deux lampes électriques.

Au début, les personnages faisaient des choses importantes. Comme après ils faisaient les mêmes choses que nous, elle commentait beaucoup les pièces.

A Madrid, je l'ai placé dans ma chambre. De temps en temps, je donnais une représentation pour elle.

Au début, je divisais chaque pièce en plusieurs actes. Comme après je les ai ramenés à un acte, elle n'était plus distraite.

Chaque personnage était placé sur une baguette en bois et alors je pouvais les mouvoir du dehors.

Au début, mon théâtre était en carton. Comme après, à Madrid, j'en ai fait un en bois, il lui a plu davantage.

Ni grand-père, ni grand-mère n'assistaient aux représentations. Il n'y avait qu'elle qui y assistait. A présent, comme elle n'est pas ici, j'en fais pour moi tout seul.

Madrid

Les cartes étaient disposées en ordre sur la planche. Pendant qu'elle parlait, elle en tenait un paquet à la main.

— J'ai fait tout ce que j'ai pu pour papa et pour toi. J'ai la conscience tranquille. Personne ne pourra me faire des reproches, absolument aucun reproche. Tu sais bien que tout le monde pense que je suis une pauvre veuve qui a élevé son enfant au prix de mille efforts. Tout le monde le sait. Tout le monde m'en fait compliment. Quelle mère en aurait fait autant ?

Quand elle s'arrêtait de parler, une moue se dessinait sur ses lèvres.

— Sache-le une fois pour toutes : une autre mère t'aurait fait travailler, le plus tôt possible, comme groom ou comme balayeur, mais moi je ne l'ai pas fait. J'ai préféré me sacrifier.

Quelquefois, elle disait qu'elle aurait dû faire de moi un maçon ; ou bien que n'importe quelle autre mère m'aurait mis à l'assistance publique ; ou qu'elle m'aurait abandonné n'importe où.

– Mais moi je ne l'ai pas fait parce que je ne pense qu'à ton bonheur et jamais à moi. Rien n'était plus facile pour moi que d'avoir dépensé tout mon argent en distractions. Et je t'assure que ce ne sont pas les occasions qui m'auraient manqué. Tu ne connais pas encore la vie. Tu es un enfant sans expérience qui doit tout, absolument tout, à sa pauvre mère martyre.

Le buffet se trouvait à côté du couloir. A travers les carreaux, j'ai vu, quand je me suis habitué à l'obscurité, les mêmes assiettes, les mêmes verres qui avaient toujours été là. Au-dessus il y avait un vase garni de fleurs en chiffons, vieilles et sales.

– Je n'ai toujours pensé qu'à papa et à toi. Je n'ai vécu que pour lui et pour toi. Je ne pouvais pas l'aimer plus que je ne l'ai fait quand nous étions encore ensemble. Quand il nous a abandonnés pour suivre ses idées, compromettant son avenir et celui de son enfant, c'est moi qui t'ai pris en charge et qui t'ai élevé de mon mieux. C'est moi qui t'ai donné tout ce qu'il aurait dû te donner s'il s'était conduit comme un bon père.

Quand je l'ai interrompue, elle a laissé le paquet de cartes et elle s'est approchée de moi, et j'ai retenu mon souffle.

Ciudad Rodrigo

Quand la saison des coquelicots était passée, je ne pouvais plus en cueillir dans les champs, je ne pouvais plus en cueillir et en faire un bouquet.

Quand il n'y avait plus de coquelicots dans les champs de Ciudad Rodrigo, je ne pouvais plus en ramasser quelques-uns en un bouquet. Un bouquet de coquelicots auquel j'ajoutais un peu de verdure pour faire plus joli.

Mais, en hiver, il n'y avait plus de coquelicots dans les champs de Ciudad Rodrigo. Il n'y avait plus de coquelicots rouges dans les champs de blé ou dans les vertes prairies.

En été, je pouvais faire un bouquet rien qu'avec des coquelicots rouges et un peu de verdure. En été, je le pouvais, et au printemps.

Je devais les cueillir et me précipiter pour pouvoir te les donner aussitôt, sinon ils se fanaient. Je leur laissais une longue tige ; alors ils mettaient un peu plus de temps à se faner.

A Madrid, dans les jardins, je n'ai pas pu trouver, même en plein été, des coquelicots rouges pour pouvoir lui faire un bouquet avec un peu de verdure autour.

Sanatorium

Je regarde pleuvoir sur les carreaux de ma chambre. Les gouttes de pluie glissent, transparentes. Le ciel, gris, est brumeux et bas.

Je fume la pipe « Dr Plumb » qui était cachée avec d'autres objets à lui dans la malle du cagibi.

Il pleut et l'on entend l'écoulement d'une gouttière. Ce matin il a commencé à pleuvoir de bonne heure. Il est trois heures de l'après-midi et il pleut toujours.

J'ai aux lèvres la pipe « Dr Plumb » que je lui ai volée au fond de la malle dans le cagibi.

Ciudad Rodrigo

Aucune d'entre elles, aucune, ni la maman de Pepito, ni la femme du sacristain, ni doña Carmen, ni la femme du médecin, ni les sœurs de l'école, ni les amies de Peronila – Mercedes, Lucía, Rosita,

Isabel –, ni les dames de la Confrérie de Saint-Vincent-de-Paul, ni Mme Rodríguez, ni grand-mère, ni les mamans des amies de Aurorita – la maman de Carmencita, la maman de Lolita, la maman de Nieves, la maman de Pilar; ni les voisines de Ciudad Rodrigo, ni les voisines de Madrid, ni la filleule de grand-père, ni doña Consuelo, ni Asunción, la bonne de Ciudad Rodrigo, ni Carmen, la femme de ménage de Madrid; ni Marie Carmen, la fille du maire, ni Marie Carmen, la crémière, ni Marie Carmen, la petite-fille de M. le comte, ni la couturière, ni la marchande de bonbons, ni la femme de Truman, ni doña Rita, ni les infirmières du sana; ni doña Esperanza, ni doña Asunción, ni Greta Garbo – ni aucune autre actrice –, ni la marchande de beignets, ni la femme du président de l'Action catholique, ni Mme López, ni Mme Sánchez, ni la vendeuse de journaux, ni Aurorita, aucune, aucune n'était comme elle.

Aucune n'était comme elle. J'ai bien regardé, mais aucune n'était comme elle. Aucune n'avait la langue humide ni les genoux blancs comme elle. Aucune.

Ciudad Rodrigo

Sur la locomotive il y avait des lettres qu'on ne pouvait pas lire à première vue. Elles étaient recouvertes de noir comme le reste. Cependant, en regardant à contre-jour, on pouvait les déchiffrer.

La locomotive en bois était la reproduction d'une vraie locomotive. Le Père Noël me l'avait mise dans mes souliers..., disait-elle.

Sur le jouet j'ai pu apercevoir des lettres : « Souviens-toi de papa. » Alors elle m'a retiré la locomotive que papa avait fabriquée en prison.

Madrid

Les voisins ne nous entendaient pas et ne nous voyaient pas. Je crois que même si la fenêtre avait été ouverte et les persiennes levées ils ne nous auraient pas vus non plus ni entendus. Quand je suis arrivé à la maison, la lumière de l'escalier était déjà allumée.

Parfois elle s'arrêtait pour pleurer, puis elle me disait :

– Enfin, il faut que je me retienne.

Et elle recommençait à parler d'une voix entre-coupée.

Dans l'obscurité, au début, je ne distinguais que la masse des meubles et quelques objets qui bril-laient un peu, comme le téléphone et le verre de la photo fixée au mur.

J'avais envie de fumer, mais je n'ai pas sorti ma pipe et elle n'a pas vu que je l'avais dans ma poche. Assis sur une chaise à sa gauche, je l'écoutais. A droite elle avait la radio et au-dessus la statue du Sacré-Cœur-de-Jésus encadrée par deux vases.

Parfois elle achevait une phrase dans un soupir. Parfois elle commençait une phrase en soupirant. Parfois au milieu d'une phrase elle soupirait.

Comme nous étions en été, il n'y avait pas de bra-sero sous la table. Une fois habitué à l'obscurité, je me suis rendu compte que les chaises, son fauteuil et la nappe étaient assortis en vert foncé.

Les voisins n'ont pas pu entendre ni voir parce que les persiennes étaient baissées et la fenêtre fermée.

Madrid

Elle se coiffait assise face au miroir et ses cheveux
– ils étaient longs et ondulés – tombaient sur son
peignoir. Le matin, elle marchait pieds nus et elle
trottait de côté et d'autre. A Madrid, les hommes la
regardaient et, je m'en souviens, j'ai dû intervenir
plusieurs fois.

Le jour où elle me tenait par la main dans la rue
et où cet homme s'est placé à son côté pour lui parler, je me rappelle l'avoir bousculé et insulté.
Quand, à Madrid, elle s'asseyait par terre, près d'un
pin, je couvrais ses jambes avec mon chandail pour
empêcher les hommes de les regarder.

Elle trottait dans la maison, pieds nus. Quand elle
rentrait du bureau fatiguée, elle dégrafait sa gaine
devant moi et alors je sortais de la chambre.

Comme, le soir, elle s'enduisait le visage de pom-
mades poisseuses, j'allais au lit sans l'embrasser. Le
matin, je l'entendais trotter pieds nus dans la maison pour préparer ses affaires. Puis elle entrait dans
ma chambre et alors je pouvais l'embrasser parce
que alors elle n'avait plus le visage poisseux.

Madrid

Grand-père est mort sous le manteau de la
Vierge du Pilar.

Elle m'a dit d'aller le voir. A demi assoupi,
grand-père m'a appelé par mon nom. Comme elle
m'a dit de l'embrasser, je l'ai embrassé et je lui ai
dit :

– Bon papa.

Comme cela faisait plusieurs jours qu'on ne le
rasait plus, sa barbe m'a piqué. Sur le lit il y avait le

manteau de la Vierge du Pilar sous lequel étaient mortes tante Clotilde et d'autres amies de grand-mère.

C'était, maintenant je m'en souviens, le 3 novembre.

Elle m'a dit de quitter la pièce et je suis sorti. Alors j'ai entendu que la dame, qui était restée dans la chambre de grand-père, priait. Elle m'a dit que la dame récitait la prière des agonisants.

Cette nuit-là, de mon lit, j'ai écouté la dame prier. L'oraison que je l'ai entendue répéter plusieurs fois jusqu'à ce que je m'endorme commençait ainsi :

« Prière des agonisants. Priez avec moi. (Elle s'est tue.) Si vous ne pouvez pas parler, peu importe, priez mentalement, Dieu ne vous en voudra pas. (Elle s'est tue encore une fois.) Maintenant que je vais mourir, mon Dieu, j'accepte avec joie les douleurs et les souffrances de mon agonie afin de mériter le pardon de mes péchés. »

Je ne me souviens pas de la suite.

Après le dîner, nous avons récité le chapelet dans la chambre de grand-père. Pendant la prière, grand-père pétait sous le manteau de la Vierge du Pilar et je baissais la tête pour étouffer mon rire.

Grand-mère, la dame et elle se relayaient au chevet de grand-père pour réciter la prière des agonisants. Le matin, la dame s'arrêtait un moment pour me faire entrer. Grand-père, à demi assoupi, m'embrassait et m'appelait par mon nom. Je l'embrassais et je l'appelais « bon papa ».

« Elle » me disait de quitter aussitôt la pièce parce qu'il ne fallait pas le fatiguer. Quand je sortais, j'entendais la prière.

Comme grand-père est mort le 15 novembre sous le manteau de la Vierge du Pilar, cette nuit-là, quand nous avons récité le chapelet autour du cadavre, il ne pétait plus.

Madrid

Tous les ans, quatre-vingt-dix jeunes aspirants étaient reçus dans l'armée de l'air espagnole : quarante futurs pilotes, quarante futurs membres du corps auxiliaire des troupes d'aviation et dix futurs officiers d'intendance.

Bien qu'elle m'ait appelé poule mouillée, je lui ai dit que je choisissais l'intendance.

Après quatre ans d'études aux cours militaires, les quatre-vingt-dix aspirants devenaient quarante lieutenants pilotes, quarante lieutenants de troupes d'aviation et dix lieutenants d'intendance.

Bien qu'elle m'ait appelé poule mouillée, elle m'a laissé choisir l'intendance.

Par la suite, lorsqu'on lui demandait quelles études je faisais, elle répondait que j'étudiais pour être officier de l'armée de l'air espagnole ; lorsqu'on lui disait :

– Mais pour être pilote ?

Elle répondait :

– Il va être officier de l'armée de l'air espagnole.

Et lorsqu'on lui disait :

– Mais il va voler ?

Elle répondait :

– Il va être officier de l'armée de l'air espagnole.

Le jour où la voisine lui a demandé :

– Mais il va être dans l'intendance ?

Elle s'est tue, puis elle a dit :

– Oui.

Ciudad Rodrigo

C'était seulement en mathématiques que mes notes étaient bonnes.

Un. Deux, deux. Trois, trois, trois. Oui. Un, deux, trois. Oui.

Je lui ai demandé comment deux et deux peuvent faire quatre et la sœur me l'a expliqué. Je lui ai demandé encore une fois et encore une fois elle me l'a expliqué. J'allais encore le lui demander mais je me suis tu.

La sœur m'a dit que deux et deux font quatre, et que cela allait de soi et que deux chaises plus deux chaises font quatre chaises, et que deux crayons plus deux crayons font quatre crayons, et que deux chats plus deux chats font quatre chats. Et je lui ai demandé si les deux chaises étaient égales aux deux autres chaises. Et elle m'a dit oui. Et je lui ai demandé si elles étaient égales de la même manière que deux est égal à deux. Et elle m'a dit oui, bien sûr que oui. Et puis j'ai voulu lui poser une autre question mais je me suis tu.

A Madrid, le professeur lui a dit que les mathématiques étaient mon point fort.

Un, un, un. Deux, deux. Trois. Non. Un, deux, trois. Oui.

La sœur m'a dit que tout le monde comprenait cela, et je me suis tu. La sœur m'a dit qu'on ne devrait même pas avoir à expliquer ces choses-là, et je me suis tu. Et la sœur m'a dit que deux et deux font quatre, que deux chaises plus deux chaises font quatre chaises, que deux chats plus deux chats font quatre chats, que deux petits garçons plus deux petits garçons font quatre petits garçons. (Cette fois elle ne m'a pas parlé de crayons.) Et je me suis tu. Et alors j'ai dit :

— Est-ce qu'on ne triche pas pour que ça tombe juste ?

Et la sœur m'a dit non, bien sûr que non.

C'était seulement en mathématiques que mes notes étaient bonnes, aussi bien à Madrid qu'à Ciudad Rodrigo.

Un, deux, trois. Oui.

Madrid

— Comment veux-tu que je t'aie parlé de lui? Pour que tu te sentes malheureux en pensant à ton père indigne? Je t'ai épargné toute possibilité de souffrance, cela a toujours été mon seul désir. Et si je ne t'en ai jamais parlé, crois bien que je m'en suis abstenue à cause du très grand amour que j'ai pour toi. J'ai la conscience tout à fait tranquille. J'ai rempli mon devoir de mère et mon devoir d'épouse.

Elle avait les paupières gonflées : sous ses yeux, deux poches se dessinaient. Avant, elle se mettait des crèmes sur le visage et j'allais au lit sans l'avoir embrassée. Elle disait qu'il lui venait des taches parce qu'elle avait mal au foie.

— Malgré tout, j'ai voulu que tu respectes sa mémoire. Et pour que tu n'en gardes pas un mauvais souvenir je t'ai toujours caché ses fautes. Quel besoin avais-tu de les connaître? Songe que tu peux être fier de ta pauvre mère martyre. Je t'ai épargné toute espèce de souffrance. Absolument toute !

Ses cheveux étaient négligés. Des mèches blanches se mêlaient à sa chevelure noire. Peu après mon arrivée, avant que mes yeux se soient tout à fait habitués à la pénombre, j'avais eu l'impression que ses cheveux étaient gris. Autrefois, lorsqu'elle les teignait elle-même dans le lavabo, c'est moi qui l'aidais.

— Que pourrais-je te dire de lui sans parler de ses défauts? Ne valait-il pas mieux ne rien dire pour tous, pour lui – pour sa mémoire – et pour toi? Et même aujourd'hui je me refuse à t'en parler. Je ne dirai rien, même si tu me supplies de le faire. Comment serais-je assez cruelle pour révéler à mon enfant tous les défauts de son père ? Un père comme le tien, qui a compromis son avenir et celui de son fils, mérite cependant qu'on le respecte en se taisant. Et sache que je ne permettrai jamais qu'en ma présence tu parles mal de lui, bien qu'il le mérite grandement.

Quand je suis arrivé, ses yeux brillaient dans la pénombre comme le téléphone et le verre de la photo sur le mur. Quand elle m'a dit au revoir, à la porte, elle a pleuré.

– D'ailleurs il ne s'est jamais occupé de toi. Bien souvent nous allions à la plage et, au lieu de rester avec toi, comme le fait tout père qui aime son enfant, il allait bavarder avec ses amis. Mais je ne veux rien te dire de mal à son sujet. Je ne veux pas que tu en gardes un mauvais souvenir. Je ne veux pas et ne l'admettrai pas.

Melilla

Il n'a pas connu mon théâtre en carton ni, plus tard, mon théâtre en bois.

Je m'en souviens, un homme m'enterrait les pieds dans le sable sur la plage de Melilla.

Je ne sais pas s'il aurait regardé mon théâtre comme elle, ou si cela l'aurait ennuyé comme grand-mère.

Je me souviens des mains de l'homme sur mes jambes et du sable de la plage de Melilla.

Il n'a pas su que j'ai appris à monter à bicyclette.

Je m'en souviens, le soleil éclairait les mains de l'homme, mes jambes et le sable de la plage de Melilla.

Je ne sais pas s'il aurait aimé me voir servir la messe comme elle ou s'il aurait été fâché de me voir monter à bicyclette comme grand-mère.

Ciudad Rodrigo

Quand grand-mère apprenait que j'étais descendu dans les douves, elle me privait de goûter et de la sortie du dimanche.

Même si j'avais grande envie de pisser, je me retenais pendant toute la classe de Sœur Isabelle et mon pied s'agitait de plus en plus.

Quand je disais des gros mots comme péter et comme cul, grand-mère me mettait du piment rouge dans la bouche.

Quand nous descendions dans les douves, après la classe de Sœur Isabelle, nous jouions à qui pisserait le plus haut sur le mur. Je ne gagnais pas. Mes camarades disaient que je n'y arrivais pas parce que je ne savais pas diriger le gland et que ça ne me servait donc à rien de me retenir.

Quand grand-mère me privait de sortie le dimanche, je regardais derrière les carreaux les gens se promener sur la grand-place. Quand je riais pendant le chapelet, grand-mère approchait le tisonnier du bout de mon doigt; alors il me poussait une cloque pleine d'eau.

Madrid

Je savais que tous le regarderaient si je retirais le livre. Je savais que si au collège de Madrid je ne m'asseyais pas sur les bancs qui touchaient le mur de droite tous le regarderaient.

C'est elle-même qui me l'avait fait. Avec un mètre de couturière elle m'avait pris les mesures.

Elle s'était servie d'un patron qu'elle avait confectionné avec du papier journal et qu'elle avait couvert d'épingles.

Quand il faisait froid, je pouvais porter mon manteau dans la rue. Quand il ne faisait pas froid, je ne pouvais pas le porter. Quand il ne faisait pas froid, je serrais ma serviette contre moi dans la rue.

Avec la machine à coudre elle l'a cousu elle-même. Je l'ai aidée à enfiler l'aiguille parce qu'elle disait que j'y parvenais plus vite qu'elle.

Je lui ai dit que je ne voulais pas le mettre, mais elle m'a dit que je devais le porter. Voilà pourquoi, pendant la récréation, je ne jouais pas et je restais assis sur un banc, mon livre collé au corps; voilà pourquoi, chaque fois que je le pouvais, je gardais mon manteau en classe.

Je l'ai essayé en me regardant dans la glace. Elle m'a demandé si je le voulais plus long ou plus court. Je lui ai dit de le laisser comme il était. Ensuite elle m'a demandé si je voulais la poche sur la couture de côté ou bien en biais. Je lui ai dit que je la voulais en biais, comme sur la photo du catalogue.

Quand le professeur m'a appelé au tableau et quand il m'a demandé de me retourner vers mes camarades pour leur répéter plus fort la démonstration, c'est à ce moment que j'ai entendu l'un d'eux s'écrier :

— Ça alors, il a une poche horizontale, il a dû mettre sa culotte à l'envers !

Melilla

Sur les photos de Melilla on peut nous voir, elle et moi, mais il ne figure sur aucune d'elles. Et quand je lui ai demandé de m'en montrer une de lui, elle m'a dit qu'elle n'en avait pas.

Sur ma photo de premier communiant je me tiens tout de blanc vêtu, à côté de la statue de la Vierge. Ce jour-là elle m'a conduit à l'église et, quand on m'a donné la communion, l'hostie ne s'est pas collée à mon palais ; je l'ai enroulée avec la langue et je l'ai avalée. Par la suite, lorsque je suis allé aux waters, j'ai regardé avec attention, mais il n'y avait rien.

Sur les photos de Madrid, je suis avec elle. Sur la photo prise sur la promenade, nous sommes tous les deux debout. Ses deux mains reposent sur mes épaules. Ce jour-là, c'est la dame qui nous a pris en photo avec l'appareil d'une amie. Je me souviens qu'elles ont discuté du fonctionnement. Sur les huit photos, seule la première était réussie. « Elle » a déclaré :

– J'avais bien dit qu'on ne pouvait rien faire de cette façon-là. J'avais bien dit qu'en nous y prenant de cette façon on voilerait la pellicule.

Ni les photos de Ciudad Rodrigo ni les photos de Madrid ne sont découpées. Il ne manque aucun morceau ni aux photos de Madrid ni aux photos de Ciudad Rodrigo. Il ne manque un morceau qu'aux photos de Melilla que quelqu'un a découpées avec des ciseaux.

Madrid

Si la fenêtre avait été ouverte et les persiennes levées, on n'aurait rien vu et rien entendu du dehors. Elle ne parlait pas très fort. D'ailleurs, il faisait presque nuit.

– A quoi cela lui servait-il de nier l'évidence ? Tout Melilla était au courant. Mais lui, non content de compromettre son avenir, voulait encore nier devant les juges. Pourquoi ? Seulement pour s'attirer une condamnation plus grave. Les choses auraient été tout autres s'il avait avoué dès le premier moment, comme je le lui avais conseillé. Mais il a toujours été faible, il n'a jamais eu de caractère. Il aurait mieux valu pour lui écouter les conseils de sa femme qui l'aimait tant. Car malgré tout je l'ai toujours aimé de tout mon cœur, et même aujourd'hui je continue à chérir son souvenir. Tu vois : je ne me suis pas remariée. Et pourquoi cela ? Ne crois pas que les partis m'aient manqué, mais j'ai pensé à lui et à toi. Je lui ai juré un amour éternel. Et puis je n'ai pas voulu que tu aies un beau-père.

Quand elle se taisait, on entendait le tic-tac de la pendule murale. Le soir, elle montait sur une chaise, elle ouvrait la petite porte en verre et avec une grande clé en fer elle la remontait.

— Et je t'assure que je n'ai rien inventé. Je n'ai dit que la vérité, ce qui ne pouvait que le favoriser en de telles circonstances. Mais comme il fallait s'y attendre étant donné son ingratitude, non seulement il ne m'en a pas su gré, mais il m'a injuriée. Que de choses ai-je dû entendre, hélas ! C'est aux moments où je me suis le plus sacrifiée pour lui et pour toi que vous m'avez montré le plus d'ingratitude. Toujours à veiller, nuit et jour, pour votre bonheur, et voilà comment vous m'en avez récompensée ! Mais c'est mon destin de mère martyre. Tu ne connais pas bien ces choses, je t'ai caché toutes mes souffrances. J'ai toujours préféré souffrir en silence. Comme dit l'Evangile, que ta main gauche ignore le cilice que tu portes à ta main droite.

Pendant qu'elle parlait, le téléphone n'a pas sonné et personne n'a frappé à la porte.

— Je n'ai dit aux juges que la vérité. Ce qu'il aurait dû leur dire dès le premier moment pour ne

pas s'attirer une condamnation plus grave. Comme
toujours, comme toute femme qui aime son mari,
j'ai cherché ce qu'il convenait le mieux de faire
pour lui et je l'ai fait. A quoi cela aurait-il servi de
dire que ce n'était pas vrai? De toute façon ils
l'auraient condamné. Grâce à mon témoignage, les
juges, me voyant soumise à eux, se sentaient enclins
à plus d'indulgence envers lui. Mais il s'est obstiné à
fermer toutes les portes qui pouvaient lui être
utiles. Combien il aurait mieux valu pour lui baisser
la tête dès le premier moment et avouer ses fautes!
Mais il n'a jamais su se conduire dans la vie. Que
serait-il advenu de lui si je n'avais pas été là?

Sur la table, près du téléphone, se trouvaient les
lunettes qu'elle met pour lire. Sans doute elle les
avait mises pour faire des réussites.

– Je ne t'en ai jamais rien dit parce que je t'aime
beaucoup et pour que tu ne gardes pas un mauvais
souvenir de ton père. J'ai préféré taire ses erreurs.
Mais puisque aujourd'hui je t'ai révélé tout ceci, je
veux que tu saches que ton père ne s'en tint pas là,
et qu'il a été jusqu'à m'insulter et dire que je l'avais
dénoncé. Toute ma vie j'ai dû boire le calice jusqu'à
la lie. Toute ma vie on m'a rendu le mal pour le
bien. Comme toutes ces choses brisent mon pauvre
cœur de mère martyre!

Melilla

Ce jour-là il faisait soleil sur la plage de Melilla,
tandis que l'homme m'enterrait les pieds dans le
sable.

Elle m'a raconté que nous étions partis sur un
bateau de pêche et que nous y avions grimpé par
une échelle en bois, sans corde pour nous servir
d'appui.

Pendant que j'écris, je fume la pipe « Dr Plumb ».
Il est probable qu'avec cette pipe dans la poche de
sa veste il ait entendu le verdict.

Parmi les photos qu'elle garde de Melilla il y en a
une où je suis déguisé en Pierrot. Un homme me
tient dans ses bras. On ne voit que ses mains et une
partie des manches de sa veste. Le reste est découpé
avec des ciseaux.

Elle et moi, elle me l'a souvent raconté, nous
avons traversé le détroit de Gibraltar sur un bateau
de pêche puis, en voyageant par le train, nous
sommes arrivés à Ciudad Rodrigo.

La pipe « Dr Plumb » est une pipe au filtre
compliqué. Toutes les semaines je le nettoie minu-
tieusement car la nicotine reste collée tout au long
du filtre compliqué de la pipe « Dr Plumb » – « Per-
fect pipe », « CJV », « Best made » – de papa.

Madrid

Quand nous allions au parc, l'été, elle portait un
ensemble blanc. Quand elle pivotait en tourbillonnant sur elle-même, sa jupe se soulevait presque
comme celle d'une danseuse. Elle riait sous les
arbres quand je lui racontais des histoires. Les
rayons du soleil qui filtraient entre les cimes frap-
paient son visage.

Elle avait les lèvres rouges et les cheveux noirs et
frisés. Les mamans des autres n'avaient ni cheveux
noirs et frisés ni ensemble blanc qui se soulevait en
tourbillonnant.

Je jouais aux gendarmes et aux voleurs sur la
place du Pin. Elle me regardait, assise sur le banc
avec son ensemble blanc garni d'une ceinture en
étoffe blanche aussi. Mais quand je réussissais à
faire une feinte à l'adversaire, elle ne s'en rendait

presque jamais compte et, alors, je cessais de la regarder pendant un bon moment.

Quand nous revenions à la maison, elle enlevait ses chaussures et, pieds nus, elle trottait de côté et d'autre. Puis elle dégrafait sa gaine devant moi et je quittais la chambre.

Madrid

Au cinéma, pendant les actualités, je voyais les avions tomber en flammes. Alors j'avais le souffle coupé et je me rendais compte tout à coup que la salle était très noire.

Je m'en souviens, les avions des actualités de guerre étaient en métal, et sur leurs ailes ils avaient des mitrailleuses. Elles leur servaient à abattre d'autres avions qui tombaient en flammes. Quand je voyais ces combats, je mettais les pieds sur le siège et je me pelotonnais sur moi-même.

Une fois, l'un des aviateurs réussit à sauter avec son parachute qui s'accrocha en haut d'une cheminée d'usine. Je me souviens de l'image que j'ai vue au cinéma.

A cette époque, il y avait souvent des actualités de guerre avant les films et, parfois, on y voyait des avions tomber en flammes.

Ciudad Rodrigo

Nous montions en voiture et nous allions à la gare de Ciudad Rodrigo. Je réfléchissais à tout ce que j'allais lui dire. Une fois passée la porte du Soleil, les murailles restaient derrière nous. Quand je tournais la tête, je voyais le château d'Henri de Trastamare et les corbeaux qui tournoyaient au-dessus.

Je prenais le car avec grand-père. Il fumait des cigarettes à bout filtrant qu'il roulait pendant le chapelet. La fumée lui sortait de la bouche quand il me parlait et l'on aurait dit un four. Parfois il rejetait la fumée pendant un long moment, puis un petit filet lui sortait du nez. « Elle » n'avait pas la même bouche que grand-père. La sienne était rose et humide. D'ailleurs, elle ne fumait pas.

Si au lieu de passer par la porte du Soleil nous étions sortis par la porte de l'Ecu, nous aurions traversé le pont, mais nous aurions vu aussi les murailles et tournoyer les corbeaux. Tout Ciudad Rodrigo était cerné de murailles ; même la petite tour qui avait été démolie pendant le siège était reconstruite : sa couleur claire tranchait sur le reste.

Quand le car arrivait à la gare, je l'attendais. En l'attendant, je regardais le plus loin possible pour apercevoir le train. Puis j'entendais le sifflet de la locomotive et enfin je voyais le train au loin. Quand il s'arrêtait, je m'élançais et c'était moi qu'elle embrassait le premier.

Madrid

Dans la pénombre, assise dans son fauteuil, elle me parlait. Assis sur une chaise à sa gauche, je l'écoutais. J'ai posé mes pieds sur le barreau de la chaise. Parfois elle étendait la main pour me caresser le visage et alors je m'écartais.

– J'ai mal fait de ne pas te montrer la lettre du directeur de la prison. Je la garde soigneusement. Mais je n'ai jamais voulu que tu connaisses certaines choses, même si en les apprenant tu n'aurais pu qu'admirer davantage ta pauvre mère. Mais tu sais quelle a été toujours ma devise : ne jamais me soucier de moi-même pour pouvoir me consacrer à toi. Pour ce que cela m'a servi par la suite...

Elle a poussé un soupir. Elle a poussé un deuxième soupir. Puis elle s'est tue un instant.

– Le directeur de la prison me dit qu'il a bien compris, d'après les lettres que j'ai écrites à ton père, que je suis une vraie Espagnole et une vraie chrétienne. C'était ainsi que commençait sa lettre. Plus de la moitié était flatteuse pour moi ; elle reconnaissait toutes les difficultés que j'avais pour élever convenablement mon enfant. Je la garde et je la garderai toute ma vie. Si tu veux, je te la montrerai.

Elle et moi, nous étions dans la salle à manger d'été. Les dix autres pièces étaient vides, les trois couloirs étaient vides, la salle de bains était vide, la cuisine était vide.

– Si tu me l'avais demandée, je te l'aurais laissée. Que m'as-tu demandé jusqu'ici que je ne t'aie accordé ? Quel besoin avais-tu de lire cette lettre derrière mon dos ? Comment faut-il te dire que tout ce qui est à moi est à toi, que je n'ai aucun secret pour toi ? Quel besoin avais-tu d'aller comme un voleur jusqu'au cagibi pendant mon absence pour lire cette lettre ? Te l'aurais-je refusée ? Dis-moi ?

Les deux balcons de la salle à manger d'hiver qui donnaient sur la rue étaient hermétiquement clos. Aucun jour non plus ne parvenait jusqu'au couloir des pièces qui donnaient sur lui.

– Alors, si tu l'as lue, que puis-je te dire que tu ne saches déjà ? Tu t'es convaincu de tes propres yeux que même les personnes qui me connaissent le moins sont émues par ma peine et les sacrifices que j'ai faits pour élever mon enfant convenablement. Tu vois d'ailleurs qu'il ne me reproche pas mes petites erreurs, ces erreurs qu'une pauvre mère seule, sans personne pour la conseiller et sans instruction comme moi, devait fatalement commettre.

Car elles ont toujours été insignifiantes et je les ai faites sans mauvaise intention, tandis que celles de ton père ont été conscientes, préméditées et mons-trueuses. Et le directeur ne me reproche pas mes erreurs ; il me les montre, car je ne les aurais pas vues autrement. Je crois toujours faire pour le mieux, mes intentions étant toujours bonnes. Le directeur a dit que je n'écrive plus de lettres comme celles que j'avais écrites à mon mari parce que selon lui, après sa tentative de suicide, il avait souffert d'une grave dépression. Ton père, avec ses comé-dies, était arrivé à ses fins : impressionner le direc-teur et lui faire croire qu'il n'avait plus toute sa tête. Et quand il a compromis l'avenir de mon enfant, à ce moment, il n'avait peut-être pas non plus toute sa tête ? Mais j'ai obéi : je ne lui ai plus écrit, je ne suis pas une hypocrite, je ne pouvais pas lui écrire pour le féliciter et lui dire qu'il avait bien fait.

Un chien a aboyé une fois dans la cour. Puis il a aboyé une seconde fois. Ce devait être un chien-loup.

Ciudad Rodrigo

Les gens parfois applaudissaient très fort et par-fois criaient très fort. Grand-mère aussi parfois applaudissait très fort.

Grand-père m'expliquait tout. Grand-père savait très bien comment il fallait s'y prendre, voilà pour-quoi souvent, lorsque tout le monde criait très fort, lui applaudissait.

Grand-mère, aux arènes, riait plus qu'à la maison. Comme elle était contente, parfois elle applaudis-sait très fort et parfois elle criait.

Grand-père me disait que l'essentiel était de tenir. Si l'on ne tenait pas jusqu'au bout, tout était inutile. Grand-père savait très bien comment il fallait s'y prendre, voilà pourquoi souvent, lorsque tout le monde applaudissait très fort, lui criait.

Comme il faisait chaud, grand-mère retroussait les manches de sa robe et les hommes ôtaient leur veste.

Quand est venue la mise à mort, le sang coulait à flots de la bouche du taureau et il chancelait sur ses pattes en mugissant. Puis j'ai vu que le torero essuyait ses mains pleines de sang tandis que la foule applaudissait plus fort que jamais et que grand-père m'expliquait les trois temps nécessaires pour bien tuer la bête.

Je lui ai tout raconté quand elle est revenue de la ville, et pour mieux me faire comprendre j'ai dessiné une série de croquis qu'elle garde dans le tiroir de l'armoire, près de mon herbier.

Madrid

La Dame (qui me faisait pécher) me réveillait tous les matins.

Mais « elle » était au bureau et elle ne savait rien. Comme le dimanche, à Madrid, elle n'allait pas au bureau, elle venait me réveiller puis nous allions ensemble à la messe.

Je servais la messe, et quand arrivait la communion c'était moi qui tenais le plateau sous son menton et elle alors tirait la langue – elle était rouge et humide – et fermait les yeux. Je ne pouvais pas dire au prêtre qu'elle était ma mère parce que je ne pouvais pas parler à la messe.

Quand je secouais la clochette, je savais qu'elle me regardait, et quand je portais le missel, je savais qu'elle me regardait toujours, mais moi je ne pouvais pas la voir parce qu'elle m'avait reproché quelquefois d'avoir tourné la tête pendant la messe.

A la fin j'allais la chercher en sortant par la porte près du maître-autel, et j'arrivais par la grande nef jusqu'à sa place; alors tout le monde comprenait qu'elle était ma mère.

Puis nous sortions dans la rue et je lui demandais si j'avais bien secoué la clochette, porté le missel et donné la communion et elle me répondait :

– Oui.

Et quelquefois :

– Oui, très bien.

Madrid

Quelques mois après grand-père, grand-mère est morte sous le manteau de la Vierge du Pilar. Quand on sonnait à la porte, la voisine, parfois, poussait des gémissements aigus. Moi, je pensais à l'enfer et aux martyrs et au supplice de Damiens, mais dès que je ne me concentrais plus, je riais.

« Elle » avait mis dans les mains de grand-mère un crucifix en argent et un chapelet en or. La dame pleurait et vaporisait du parfum, mais grand-mère sentait de plus en plus mauvais. Moi, je fixais intensément la flamme de l'un des chandeliers, mais les larmes coulaient à peine de mes yeux.

Grand-mère était toute blanche et elle avait le nez pincé. Quand les croque-morts sont arrivés, ils ont ôté à grand-mère son crucifix et son chapelet et ils les ont enfermés à clé dans la boîte en fer de l'armoire. Moi, je pensais au diable et aux esclaves romains et à l'opération des amygdales, mais je devais me cacher le visage dans mon mouchoir pour ne pas leur laisser voir que je riais.

Puis les hommes ont soulevé le cercueil et l'ont sorti de la chambre en prenant bien soin de ne pas heurter ni les murs ni les carreaux. « Elle » pleurait plus fort que jamais, tandis que ses amies la soutenaient. C'est alors que je me suis enfermé dans les waters et mon rire a été si violent que les larmes m'en sont · venues aux yeux.

Ciudad Rodrigo

Le premier portait le drapeau national. Près de lui marchait une sœur. A la fenêtre, la Mère supérieure était entourée d'autres sœurs. L'un derrière l'autre, nous tous, les élèves, nous avancions en chantant l'air de *L'Espagne fut la nation qui a conquis le plus de gloire.*

En file indienne derrière le porte-drapeau, nous avancions tous. Les sœurs nous signalaient si nous nous écartions trop de celui qui marchait devant ou si, tout à coup, nous suivions celui qu'il ne fallait pas. Et ainsi, l'un derrière l'autre, nous chantions l'air de *La Vierge du Pilar dit qu'elle ne veut pas être française.*

Nous scandions le rythme de la chanson en frappant deux pierres l'une contre l'autre. A ceux qui avaient eu droit au tableau d'honneur, les sœurs donnaient une clochette. Elles suivaient le rythme de la chanson avec leurs claquettes en bois. Et nous chantions tous l'air de *La Vierge Marie est notre rédemptrice.* Tous en file – l'un derrière l'autre – nous envahissions la cour en décrivant des arabesques. Lorsque c'était la Sœur Mercedes qui guidait le porte-drapeau, la file interminable faisait beaucoup plus de tours. Enfin, nous nous arrêtions et la Mère supérieure criait trois fois « Vive le Christ-Roi » et nous répondions tous « Amen » tout en frappant les pierres et en agitant nos clochettes.

Madrid

Les cloches du couvent des religieuses cloîtrées sonnèrent.

– Qu'aurais-tu pensé si je m'étais suicidée lorsque je me suis vue seule avec toi ? Tu aurais pensé, et tu aurais eu raison de le faire, que j'étais une mère indigne qui était capable d'abandonner son enfant au moment où elle lui faisait le plus défaut.

Les cloches du couvent des religieuses cloîtrées sonnèrent.

– Combien de fois ai-je pensé, moi aussi, à me suicider ! Et pourquoi ne l'ai-je pas fait ? Parce que je savais que mon devoir était de rester à tes côtés pour te soigner et te protéger.

Les cloches du couvent des religieuses cloîtrées sonnèrent.

– Cela aurait été d'une lâcheté insigne. C'était pour moi la meilleure solution, si j'avais été égoïste et si je n'avais pensé qu'à moi.

Les cloches du couvent des religieuses cloîtrées sonnèrent. Quelquefois, lorsque je restais seul à la maison, je me déshabillais en face des fenêtres grillées du couvent des religieuses cloîtrées.

– Mais ton père, non content d'avoir agi comme il l'a fait, a voulu aussi se suicider. Jusqu'au dernier moment le courage lui a manqué pour affronter la vie. Que serait-il advenu de lui et de toi si je n'avais pas été là ?

Les cloches du couvent des religieuses cloîtrées sonnèrent à toute volée.

– On ne peut lui trouver aucune justification. C'est moi qui te le dis, moi qui l'ai tant aimé. Tu es encore trop jeune pour bien te rendre compte de tout.

Les cloches du couvent des religieuses cloîtrées sonnèrent à toute volée.

– Il était en prison; combien aurais-je donné pour être là-bas, sans souci, sans avoir à lutter pour élever convenablement mon enfant! Ma situation était beaucoup plus dure que la sienne, mais tandis que moi, mère qui aimait son enfant, j'ai continué à lutter, lui a tenté de se suicider.

Les cloches du couvent des religieuses cloîtrées sonnèrent à toute volée. Les fenêtres étaient fermées et les persiennes baissées et, pourtant, on entendait les cloches du couvent des religieuses sonner à toute volée. Les balcons de la salle à manger d'hiver étaient face à face avec les fenêtres grillées du couvent. Quelquefois, quand elle était au bureau et que je restais à la maison pour préparer le concours d'entrée dans l'armée, je me déshabillais en face des fenêtres des religieuses cloîtrées et je pissais.

Ciudad Rodrigo

Nous descendions dans les douves de Ciudad Rodrigo en nous aidant des aspérités de la muraille. En bas, nous cherchions des lézards pour les faire fumer. De là on voyait s'élever très haut le mur du château et les créneaux se découper sur le ciel.

Du haut de la muraille nous assistions à l'arrivée des taureaux, grand-père, grand-mère et moi. Comme « elle » était à la ville, elle ne pouvait pas y assister du haut de la muraille. Nous, nous pouvions le faire.

Elle ne voyait pas non plus comment on construisait les arènes avec des madriers. Nous, du balcon de la maison, nous pouvions le voir. Et nous regardions aussi comment on disposait l'escalier qui partait du sol pour arriver tout en haut et par où montaient les gars du village.

Comme elle était à la ville, elle n'a pas entendu grand-mère me dire que, puisque j'étais une vraie fille, quand je serais grand je n'oserais jamais monter l'escalier. Et comme elle était à la ville, elle n'a pas vu que je me suis sauvé de la maison et que j'ai monté toutes les marches de l'escalier jusqu'en haut tandis que grand-mère et grand-père criaient.

Ciudad Rodrigo

Les murailles de Ciudad Rodrigo étaient hautes. Grand-mère nous avait défendu de jouer dans les créneaux ou de descendre dans les douves. Avec mes amis, j'y descendais et, d'en bas, je voyais les créneaux se découper sur le ciel. Tous voulaient me faire grimper le mur du pont-levis et je montais en m'aidant des saillies de la pierre.

Quand « elle » arrivait de la ville, nous allions l'attendre à la gare. Grand-père parfois nous emmenait dans la voiture d'un de ses amis et je voyais, par la portière, les arbres de la route défiler dans le sens opposé à notre marche. Elle m'apportait du pain de la ville et des illustrés.

Elle regardait les dessins que je faisais et, quand elle était à la maison, elle m'aidait à faire la carte que tous les matins je devais apporter en classe. Elle s'en souvient souvent, elle me l'a dit. Je sais qu'elle garde mes dessins dans un tiroir de l'armoire avec l'herbier que j'ai fait en cinquième.

Ciudad Rodrigo

J'allais à l'école et tous les matins je partais, la carte d'Espagne dessinée sur mon ardoise. Quand elle était à Ciudad Rodrigo elle m'aidait à la faire. Je commençais par l'Atlantique, en traçant d'abord un centimètre de côte française, et je finissais par la Méditerranée, en traçant un autre centimètre de côte française. Les frontières avec la France, avec Andorre et avec le Portugal, je les marquais avec de petites croix. Lorsqu'elle venait à Ciudad Rodrigo, elle s'asseyait à mon côté et elle me donnait des conseils. Ses mains étaient blanches et sans rides.

Le jour de son anniversaire, je lui faisais un dessin sur un carton. Elle les garde dans le tiroir de l'armoire. Grand-mère m'aidait. Sous le dessin, j'écrivais : «Vive le Christ-Roi!» Les mains de grand-mère étaient ridées et striées de veines.

Le jour de son anniversaire, «elle» venait à Ciudad Rodrigo et nous avions de la glace au dessert. Elle prenait une glace à la fraise, grand-père à la pistache et grand-mère à la vanille. Moi, je prenais aussi une glace à la fraise.

Le jour de son anniversaire, nous allions nous promener au bord de la rivière. Et quand mes camarades de classe passaient à côté de nous, ils comprenaient que j'étais avec elle.

Nous marchions le long de la berge et je lui demandais le nom des arbres et elle me le disait. De là on pouvait voir la muraille, le pont et le château. Je lui demandais qui avait fait le pont et elle me répondait que c'étaient les Romains. Et je lui demandais qui avait fait le château et elle me répondait que c'était le roi Henri de Trastamare. Et je lui demandais quand on avait démoli le morceau de muraille qui manquait et elle me répondait que cela s'était fait pendant le siège. Comme le soleil brillait fort, elle portait un chapeau : tantôt la raie d'ombre lui tombait sous les yeux, tantôt sur les lèvres et tantôt sur la poitrine.

Quand nous revenions, mes camarades me voy-aient avec elle et, alors, je la prenais par la main.

Madrid

Elle m'a demandé :
– Que fais-tu ?
Et je lui ai répondu :
– Je prie.
Les lits étaient en bois et l'été, comme il y avait des punaises, une fois par semaine nous brûlions les sommiers métalliques avec du coton imbibé d'alcool et nous bouchions les trous qu'elles faisaient dans le mur avec du plâtre.

Elle s'est approchée de mon lit. Ensuite elle est allée se coucher. J'ai continué à réciter des Notre-Père le plus vite possible.

Ma chambre, à Ciudad Rodrigo, communiquait avec celle de grand-père. Quelquefois, pendant la sieste, nous nous battions à coups d'oreiller. La nuit nous ne nous battions pas avec les oreillers : je récitais des Notre-Père jusqu'au moment où je m'endormais.

Mon lit était placé si haut ! Le couvre-pied était foncé et les murs, la nuit, étaient noirs. Je récitais des Notre-Père, en essayant de retenir mon souffle tandis qu'une sueur froide me mouil-lait.

En été, comme il y avait des punaises, un jour par semaine, une épingle à la main, nous cherchions leur repaire.

Je m'endormais en récitant des Notre-Père le plus vite possible et sans bouger. Sur les murs noirs se formaient des ombres : chaque fois que j'ouvrais les yeux je les voyais, chaque fois que je les fermais je savais qu'elles étaient là.

Les punaises que le samedi nous attrapions, nous les jetions dans un pot de chambre qui était à demi rempli d'eau.

Plus tard, je récitais plus lentement les Notre-Père. Comme de cette façon je ne trichais pas et que je pensais à ce que je disais, je ne mourrais pas la nuit.

Quand quelques années plus tard on a inventé les insecticides, j'ai cessé de m'endormir en récitant des Notre-Père pour ne pas mourir la nuit.

Madrid

Les portes de la chambre étaient fermées, les fenêtres aussi étaient fermées. La chambre était un cube régulier et sans ouvertures.

– Ton père n'est pas devenu fou en prison, ton père a toujours été fou. Comment, s'il ne l'avait pas été, aurait-il pu commettre les péchés qu'il a commis ? Et Dieu me garde de dire du mal de lui, de mon mari tant aimé. Toute la vie je l'ai aimé, je l'ai soigné, j'ai été aux petits soins pour lui. Qu'aurait fait une autre femme à ma place ? Tu es encore trop jeune pour pouvoir te rendre compte de tout ceci, tu ne sais pas ce que c'est que la vie, je t'ai épargné toute souffrance. Une autre femme se serait remariée et elle t'aurait donné un beau-père. Comme cela aurait été facile pour moi ! J'aurais cessé de travailler et de souffrir, mais je n'ai pas voulu le faire, d'abord parce que je t'ai tant aimé que seul ton bonheur compte pour moi, et ensuite parce que je ne pourrai jamais aimer qu'un seul homme dans ma vie : mon mari.

La chambre était comme un cube régulier fait d'ombre. Peu à peu, j'ai distingué les choses qui s'y trouvaient.

– C'est moi qui aurais dû devenir folle de douleur et de souffrance. Mais j'ai voulu, au prix de mille efforts, garder mon équilibre pour pouvoir prendre soin de toi, pour te sortir de ce mauvais pas. Ton devoir filial est de m'être reconnaissant de tous mes efforts et de mes sacrifices. D'autres enfants baiseraient la terre que je foule aux pieds. Je ne t'en demande pas tant : je te demande seulement de reconnaître ce que j'ai fait pour toi.

Les quatre murs – avec les portes et les fenêtres fermées –, le plafond et le plancher formaient les six faces d'un prisme régulier, carré de base. A l'intérieur, elle me parlait et je l'écoutais. Lorsqu'elle se taisait, on entendait le tic-tac de la pendule.

– Tout le monde le savait, à Melilla. Demande-le à qui tu voudras. Un homme qui aurait eu toute sa tête à lui n'aurait pas agi comme il l'a fait. C'est pourquoi je peux t'affirmer qu'il n'est pas devenu fou en prison, mais qu'il était déjà fou avant. Les lettres que je lui ai écrites étaient celles que toute autre femme dans mon cas – remplie de douleur et de souffrance – aurait écrites à l'homme qui était la cause de tout. Mais je ne tolérerai pas que tu aies mauvaise opinion de lui. Tu dois garder sa mémoire et l'aimer et le respecter malgré tout, comme je garde sa mémoire, je l'aime et le respecte moi-même. Sa démence excuse toutes ses fautes, ne l'oublie pas.

Ciudad Rodrigo

C'était vers la fin que je bandais.

Grand-mère, qui connaissait par cœur les mystères du rosaire, dirigeait tous les soirs le chapelet. Grand-mère ne commençait ses Je-vous-salue-Marie que quelques instants après la fin de nos

Sainte-Marie. Mais ce n'était pas à ce moment-là que je bandais.

Pendant que nous disions le chapelet, nous devions trier des lentilles ou des haricots. Grand-père faisait des cigarettes à bout de carton roulé et filtre de coton.

Grand-père faisait des cigarettes avec un appareil de métal cylindrique et allongé. Comme filtre, il prenait le coton du rouleau qu' « elle » tachait de sang et que j'allais voir dans la caisse en bois de la cuisine.

Grand-mère, qui connaissait par cœur les litanies, les dirigeait. Mais ce n'était pas à ce moment-là que je bandais et que je devais me cacher l'aine avec le bord de la nappe. Pas non plus quand elle récitait aussitôt après une prière en latin.

Grand-père, lorsque grand-mère finissait cette prière, se levait de table et allait dans le couloir fumer une cigarette en se promenant de long en large.

C'était à la fin que je bandais. Quand grand-mère récitait des Notre-Père pour des intentions particulières. Je bandais et le bout devenait humide pendant que je répondais aux Notre-Père de grand-mère chaque soir plus nombreux.

Madrid

On m'a dit que c'était l'orchidée. Alors, moi, j'ai choisi entre toutes l'orchidée. Ils l'ont mise dans une boîte transparente et je la lui ai offerte. Puis je lui ai dit que, lorsque je serais officier de l'armée de l'air espagnole, je lui offrirais toutes les semaines une boîte transparente avec une orchidée à l'intérieur.

– Je n'ai voulu que ton bonheur. J'ai cru, hélas ! avec la meilleure intention du monde, Dieu m'en est témoin, que la carrière militaire serait pour toi la meilleure.

Dans la chambre, portes et fenêtres fermées et les persiennes baissées, elle me parlait et elle ne me regardait presque jamais.

– Aujourd'hui, tu serais officier. Tu aurais une bonne solde, une bonne place et une situation enviée. Quelle autre mère – quelle vraie mère – aurait manqué de te conseiller cette carrière ? Car moi je n'ai fait que te la conseiller. Tu le sais bien. C'est toi qui as pris la décision.

Entre toutes, j'ai choisi l'orchidée. Et quand le vendeur m'a demandé laquelle, j'ai répondu la plus chère. Et il m'en a donné une blanche mouchetée de rouge.

– Tu ne peux pas te figurer le chagrin que j'ai ressenti en voyant ton manque d'application. Et si j'ai essayé, par tous les moyens qui étaient en mon pouvoir, de te faire faire des progrès, tout l'amour que j'ai pour toi en a été seul la cause, ainsi que l'ardent désir de te voir devenir un homme de bien.

Dans la chambre, elle était à ma droite et j'étais à sa gauche. De temps en temps elle me regardait, l'espace d'un instant.

– J'étais désespérée. Je suis une femme sans instruction. Il en aurait été tout autrement si mes parents m'avaient élevée comme je t'ai élevé. Je ne connaissais pas la gravité de ta maladie. Si j'avais fait au moins quelques études élémentaires de médecine ! De toute façon tu n'as pas lieu de te plaindre : je t'ai toujours donné ce qui était en mon pouvoir. Et si, lorsque tu es tombé malade, je n'ai rien pu faire d'exceptionnel pour toi, ce fut, il faut que tu le saches, d'abord parce que je ne connaissais pas la gravité de ta maladie, et enfin parce que c'était une excuse que tu te donnais pour refuser d'étudier.

A Ciudad Rodrigo, il y avait des coquelicots. A Madrid, il n'y avait pas de coquelicots. A Madrid, on m'avait dit que l'orchidée était ce qu'il y avait de mieux.

– De ton propre chef tu t'es séparé de moi. Mon cœur en est resté brisé, mais je t'ai laissé faire ce que tu voulais, et pourtant, puisque tu es mineur, j'aurais pu t'obliger à revenir. Mais, comme toujours, ce qui compte pour moi c'est le bonheur d'autrui et non le mien. Tu serais beaucoup mieux soigné par ta mère que par des étrangers. T'aurais-je laissé manquer de quelque chose ?

Dans la chambre, elle me parlait en fixant presque toujours les cartes.

Ciudad Rodrigo

Quand les gars du village sont entrés dans l'arène, quelques-uns sont tombés à la porte. Puis les taureaux sont entrés à leur tour. « Elle » n'était pas à Ciudad Rodrigo.

Du haut des murailles, nous avions vu les hommes à cheval conduire les taureaux des champs vers le village. Puis nous avions couru vers l'arène et nous nous étions installés. Grand-mère et ses amies couraient aussi pour ne pas manquer l'entrée des taureaux. Mais comme « elle » n'était pas à ce moment à Ciudad Rodrigo, « elle » n'a rien vu.

Quand les taureaux sont entrés dans l'arène, les hommes ont grimpé sur la palissade et se sont cachés derrière les refuges. Les sept taureaux couraient de tous côtés et on ne pouvait pas relever les deux gars blessés. Nous, du haut des gradins, nous entendions les pasos dobles et nous regardions les taureaux courir. Mais comme elle était à la ville, j'ai dû tout lui raconter par la suite.

Comme il faisait très chaud, grand-père avait enlevé sa veste, et grand-mère et ses amies retroussaient leurs manches. Quand les taureaux passaient près de nous, le soleil se reflétait sur leur pelage qui luisait. Ils renâclaient et couraient tandis que la foule applaudissait et criait.

Puis ils ont fait sortir les bœufs, et les sept taureaux à leur suite sont entrés dans le toril, et alors, on a pu relever les deux gars blessés. Quand « elle » est revenue à Ciudad Rodrigo, je lui ai tout raconté tandis qu'avec mon doigt je lissais ses sourcils – ils étaient noirs – et son nez.

Sanatorium

Eux – et elles – m'ont dit que maintenant tout était changé, que maintenant on guérit les maladies, que maintenant les voyages sont rapides, que maintenant l'humanité a fait des progrès et que le bien-être contribue au bonheur. « Elle » aussi me l'a dit. Quand je leur ai posé une question, ils m'ont répondu. Puis je n'ai plus posé de questions.

Ils m'ont dit qu'il fallait aimer la patrie, qu'il fallait se sacrifier pour elle, qu'il fallait respecter l'ordre du pays, qu'il fallait dénoncer les traîtres, qu'il fallait haïr les ennemis. « Elle » aussi me l'a dit. Quand je leur ai posé une question, ils m'ont répondu. Puis je n'ai plus posé de questions.

Ils m'ont dit que la famille était sacrée, qu'il fallait respecter ses parents, qu'il fallait les remercier de nous avoir élevés, qu'il fallait leur obéir, qu'il fallait les aimer quoi qu'ils fassent. « Elle » aussi me l'a dit. Quand je leur ai posé une question, ils m'ont répondu. Puis je n'ai plus posé de questions.

Ils m'ont dit qu'il fallait remercier Dieu de nous avoir donné la vie, de ne pas nous l'avoir ôtée, de

nous avoir donné une chance de salut. « Elle » aussi
me l'a dit. Quand je leur ai posé une question, ils
m'ont répondu. Puis je n'ai plus posé de questions.

Puis ils m'ont dit que je devais faire cela, alors je
n'ai plus posé de questions et je l'ai fait. Puis ils
m'ont dit que je devais aller là, alors je n'ai plus
posé de questions et j'y suis allé.

Ciudad Rodrigo

A Ciudad Rodrigo, grand-mère disait que je
devais porter le robinet à gauche. Comme je le portais à droite, grand-mère disait que j'étais une fille.

Elle m'ordonnait d'aller de la salle à manger à ma
chambre en traversant le couloir – il était long et
noir. Je restais pelotonné derrière la porte. Par la
fente, un rai de lumière de la salle à manger parvenait jusqu'à moi. Quand elle découvrait que je
n'étais pas encore allé au lit en traversant le couloir,
elle m'appelait poule mouillée.

Grand-mère racontait que son père l'obligeait à
passer dans le couloir la nuit pour l'habituer à ne pas
avoir peur. Il lui donnait une torche pour s'éclairer.
Les ombres, disait-elle, allaient et venaient sur les
murs. Et lorsqu'elle était petite, elle devait s'agenouiller à ses pieds pour lui ôter ses bottes de garde
civil.

Grand-mère disait aux gens qui venaient à la maison que j'étais une vraie fille ; alors je m'enfermais
dans les cabinets. Elle leur disait aussi que je portais
le robinet à droite quand j'aurais dû le porter à
gauche, comme tous les hommes ; alors, moi, passant la main sous la nappe, je le mettais à gauche.
Puis de lui-même il s'en allait à droite.

A Madrid, grand-mère m'obligeait aussi à passer
par le couloir – il était long et noir – pour aller la

nuit dans ma chambre. A Madrid, je restais à l'entrée; derrière moi tout était noir. Et alors je me pelotonnais sur moi-même.

Maintenant, le robinet est venu se placer tout seul à gauche, comme celui de tous les hommes.

Madrid

« Elle » a pleuré.

— J'ai la conscience tranquille. J'ai toujours fait de mon mieux comme mère et comme épouse. Aujourd'hui je suis une pauvre veuve qui n'a rien d'autre à attendre que la mort. C'en est fini de ma jeunesse. Le monde vous appartient, à vous autres jeunes.

Elle a pleuré et alors elle s'est arrêtée de parler.

— Tu étais mon tout petit, mon trésor. Comme je t'ai aimé! Et comme je t'aime encore! Comme j'aime à regarder les photos où tu es blotti contre moi! Alors, tu n'avais d'yeux que pour moi. Alors, tu ne voulais rester avec personne ni embrasser personne, tu ne voulais rester qu'avec moi. Et j'étais fière de te promener dans Melilla.

Elle a pleuré.

— Papa est mort. Peut-être cela vaut-il mieux pour tous. Il aurait été une lourde charge. D'ailleurs il a été puni à cause de ses péchés; n'oublie pas que même Dieu punit les coupables; dans l'histoire sainte il dit : « Je châtierai Baal à Babylone. » Mais, il faut que tu le saches, je n'ai rien, moi, à me reprocher. Je n'ai vécu que pour vous. J'ai toujours été trop bonne.

Elle a pleuré.

— Dis-moi que tu le reconnais.

Je lui ai dit « oui » et elle a pleuré.

— Dis-moi que tu penses que j'ai été une bonne mère et une bonne épouse.

Je lui ai dit « oui » et elle a pleuré.
– Demande-moi pardon.
Je lui ai demandé pardon et elle a pleuré.
– Embrasse-moi.
Je l'ai embrassée, et elle a pleuré.

Puis, dans l'ombre, nous sommes allés du couloir jusqu'à la porte. Dans l'obscurité je l'ai encore embrassée sur le palier. Et dans l'obscurité elle m'a embrassé et elle m'a serré dans ses bras.

Melilla

L'homme m'enterrait les pieds dans le sable. C'était sur la plage de Melilla. Je me souviens de ses mains sur mes jambes et du sable de la plage. Ce jour-là, il y avait du soleil, je m'en souviens.

Elle m'a raconté qu'à Melilla je ne voulais embrasser personne et qu'un jour j'ai jeté par la fenêtre la jolie poupée de la voisine. Je ne me souviens de rien de cela. Elle m'a souvent raconté ces choses.

Sur l'enveloppe qu'elle garde dans l'armoire elle a écrit « photos de Melilla ». Sur les photos on peut nous voir, elle et moi. A certaines, il manque un morceau. Quelqu'un les a découpées avec des ciseaux.

Je ne me souviens pas des choses qu'elle m'a racontées souvent sur Melilla. Je me souviens de mes pieds enterrés dans le sable et des mains de l'homme sur mes jambes.

Sanatorium

Je ne sais pas s'il aimait regarder la neige tomber à travers les barreaux.

Je ne sais pas si en été il s'amusait, comme moi, à regarder les minuscules poussières prises dans les rayons de soleil.

Je ne sais pas s'il aimait le rouge comme « elle » ou le bleu comme moi.

Je ne sais pas s'il aimait se promener sur le port.

Je ne sais pas si en hiver il laissait l'empreinte de son pied sur la plage pour la regarder ensuite ou si, les jours de soleil, il flânait parmi les palmiers des promenades à Melilla.

Grâce aux renseignements que je détenais, j'ai rédigé cette note. Je l'ai adressée à tant de gens! Naïvement j'attendais des informations au sujet de mon père.

Fernando Arrabal Ruiz :

* Il a fait ses études à l'Ecole militaire de Tolède. Il a fait partie de la dernière promotion tolédane. Avant que l'Ecole soit transférée à Saragosse.
* Il a terminé ses études d'Infanterie en 1930.
* Il a d'abord été envoyé à Ciudad Rodrigo, puis à Melilla.
* Le 17 juillet 1936 il a été arrêté à Melilla au fort María Cristina et condamné à mort.
* Le 7 mai 1937 un Conseil d'Officiers Généraux, à Ceuta, a commué sa peine de mort en réclusion à perpétuité.
* En juin 1939 il est entré à la Prison Centrale de Burgos.

* A la fin de l'année 1941 il s'est
enfui.
* On n'a plus jamais eu de ses nouvelles.

J'ai reçu si peu d'informations ! Les temps étaient
difficiles... et les bouches scellées par la dictature.

6

Ma tuberculose ne cédant pas, j'ai été opéré du poumon. Les nuits qui ont suivi la délicate intervention, j'ai fait des rêves douloureux. Ils s'emboîtaient les uns dans les autres ou bien éclataient en tentacules étouffants. Dans presque tous intervenaient mon père, « elle » et le capitaine Fontejo, le « petit chef » de ma mère au ministère. C'étaient toujours des variantes du même rêve. Je les ai transcrits sous forme dialoguée.

J'aperçois un salon sordide et très sombre. A gauche, la porte qui s'ouvre sur la rue. Au fond, la porte qui donne sur le cachot. Murs nus. Au centre de la pièce, une table et trois chaises.
Il fait nuit. Deux bourreaux sont assis sur les chaises. Ils sont seuls. On frappe à la porte de la rue avec insistance. On dirait vraiment que les bourreaux n'entendent rien. La porte s'ouvre lentement, non sans grincer. Une tête de femme... « elle », ma mère, apparaît. Elle examine la pièce et, enfin, se décide à pénétrer dans la salle et s'approche des bourreaux.

ELLE. – Bonjour, messieurs... Excusez-moi... Je vous dérange ? *(Les bourreaux ne bougent toujours*

pas, comme si la chose ne les concernait pas.) Si je
vous dérange je m'en vais... *(Silence. On dirait
que ma mère veut reprendre des forces. Enfin, elle
se décide. Elle parle précipitamment.)* Je suis
venue vous chercher parce que je n'y tiens plus. Il
s'agit de mon mari. *(Pathétiquement.)* L'être en
qui j'ai mis toute ma confiance, l'homme à qui j'ai
donné toute ma jeunesse et que j'ai aimé comme
jamais je n'aurais cru que je pouvais aimer. *(Bais-
sant le ton, avec plus de calme.)* Il est coupable. Je
dois le reconnaître.

*Tout à coup, les bourreaux s'intéressent aux
paroles de ma mère. L'un d'eux tire de sa poche un
crayon et un cahier.*

Elle. – Oui, il est coupable. Il habite 8, rue des
Laboureurs, et il s'appelle Arrabal Ruiz.

Voix d'« Elle ». – Entrez mes chéris, entrez.
Voix du capitaine Fontejo. – Il fait très noir ici.
Voix d'« Elle ». – Oui, la pièce est très sombre. J'ai
peur aussi, mais nous devons entrer. Il faut que
nous attendions mon mari.

Elle entre avec le capitaine Fontejo et moi.

Elle. – Asseyez-vous. Ne craignez rien.

*Tous trois s'assoient autour de la table. Elle parle
toujours sur un ton geignard.*

Elle. – Quels tristes et dramatiques moments
vivons-nous ! Quels péchés avons-nous commis
pour que la vie nous punisse si cruellement ?
Capitaine Fontejo. – Ne te fais pas de souci. Ne
pleure pas.

ELLE. – Non, je ne pleure pas, je ne pleurerai pas, je tiendrai tête à l'adversité qui nous assaille de toutes parts. Comme je te sais gré d'être attentif à tout ce qui me concerne ! Mais vois plutôt mon fils : toujours aussi dénaturé. *(J'ai l'air sombre et je regarde délibérément dans la direction opposée à l'endroit où se trouve ma mère.)* Regarde-le, aujourd'hui où plus que jamais j'ai besoin de soutien ; il se tourne contre moi et m'accable de son mépris. Quel mal t'ai-je fait, fils indigne ? Parle, dis-moi quelque chose.

CAPITAINE FONTEJO. – Ne fais pas attention à lui, il ignore la reconnaissance que l'on doit à sa mère.

ELLE *(s'adressant à moi)*. – Est-ce que tu n'entends pas, mon fils ? Ecoute-le. Si l'on m'avait dit à moi une chose pareille, j'en serais morte de honte. Mais toi, tu n'as pas honte. Grands dieux ! Quel calvaire !

CAPITAINE FONTEJO. – Ne t'échauffe pas, ne t'afflige pas, il n'en vaut pas la peine. Quoi que tu fasses, il ne sera jamais d'accord avec toi.

ELLE. – Oui, tu ne te rends pas bien compte. Quand ce n'est pas à cause de mon mari, c'est à cause de mon fils : toujours des souffrances. Moi qui ai toujours été leur esclave. Vois combien de femmes de mon âge mènent joyeuse vie, se divertissent nuit et jour au bal, au cabaret, au cinéma ! Combien de femmes ! Tu ne t'en rends pas bien compte. J'aurais pu en faire autant, mais j'ai préféré me sacrifier pour mon mari et pour mon enfant, silencieusement, humblement, sans rien en attendre, en sachant même qu'un jour les êtres qui m'ont été le plus chers me diraient ce que me dit aujourd'hui mon fils, que je n'en ai pas assez fait. Tu vois, comme ils répondent à mes sacrifices ? Tu le vois, en me rendant toujours le mal pour le bien, toujours.

CAPITAINE FONTEJO. – Comme tu es bonne ! Comme tu es bonne !

ELLE. – Et qu'est-ce que je gagne à le savoir ? Cela revient au même. Tout revient au même. Je n'ai plus de goût à rien, tout m'est égal, rien n'a plus d'importance pour moi. Je veux être bonne et me sacrifier toujours pour eux, sans rien attendre en échange, en sachant même que les êtres qui me sont le plus proches, ceux qui devraient m'être reconnaissants de mes inquiétudes ignorent délibérément mes renoncements. J'ai été toute ma vie une martyre à cause d'eux et je serai martyre jusqu'à ce que Dieu veuille me rappeler à lui.

CAPITAINE FONTEJO. – Je suis là, moi !

ELLE. – Oui, je ne vis que pour eux. Puis-je avoir dans la vie d'autres préoccupations ? Le luxe, les toilettes, les soirées, le théâtre, rien de tout cela ne compte pour moi, je n'ai qu'un seul souci : mon mari et mon enfant. Que m'importe le reste ?

CAPITAINE FONTEJO. – Entends-tu ce que dit ta mère ?

ELLE. – Laisse-le. Crois-tu que je puisse espérer qu'il sache m'être reconnaissant de mes sacrifices ? Non. Je n'attends rien de lui. Je sais même qu'il doit penser que je n'en ai pas fait assez.

CAPITAINE FONTEJO (s'adressant à moi). – Tu es une canaille.

ELLE. – Ne me fais pas souffrir, ne lui adressons pas de reproches. Je veux que nous vivions tous en paix, dans l'ordre. Surtout je ne veux pas que vous vous disputiez entre vous.

CAPITAINE FONTEJO. – Comme tu es bonne !... et bonne avec lui qui ne le mérite pas. Si ce n'était pas toi qui me demandais de l'épargner, je ne sais pas ce que je lui ferais. (S'adressant à moi, agressif.)

Tu peux dire merci à ta mère, car tu mérites une bonne correction.

Elle. – Non, non ne le bats pas. Je ne veux pas que tu le battes, même s'il le mérite grandement. Je veux que la paix et l'amour règnent parmi nous. C'est la seule chose que je te demande.

Capitaine Fontejo. – Tranquillise-toi, je ferai ce que tu voudras.

Elle. – Merci. Tu es un vrai baume pour les plaies que la vie m'a infligées. Vois-tu, Dieu, enfin, dans sa très grande bonté, m'a accordé un être comme toi qui panse les blessures dont souffre mon pauvre cœur, apaise les douleurs que me causent, à ma grande tristesse, les êtres pour lesquels j'ai le plus lutté : mon mari et mon fils.

Capitaine Fontejo. – Personne ne te fera plus souffrir, désormais.

Elle. – Ne te fâche pas, ne sois pas contrarié. Ils se sont mal conduits, et ils le savent bien. Ce que nous devons faire, c'est leur pardonner, et ne pas leur en garder rancune. D'ailleurs, bien que mon mari soit fautif, tu n'en dois pas moins le respecter.

Capitaine Fontejo. – Le respecter, lui ?

Elle. – Oui. Ne tiens pas compte de tous les malheurs dont il est la source. C'est moi qui devrais lui refuser mon pardon, et, vois-tu, je lui pardonne. Même s'il me fait souffrir plus que je n'ai encore souffert, si c'est possible, je continuerai à l'attendre les bras ouverts et je saurai lui pardonner ses innombrables fautes. La vie m'a appris à souffrir, depuis le jour de ma naissance. Mais je porte cette croix avec dignité, par amour pour eux.

Capitaine Fontejo. – Comme tu es bonne !

Elle. – J'essaie d'être bonne.

CAPITAINE FONTEJO (*l'interrompant dans un élan d'affection spontané*). – Tu es la meilleure femme du monde.

ELLE (*humble et honteuse*). – Non, je ne suis pas la meilleure femme du monde, je ne peux prétendre à une telle gloire, je suis trop peu de chose. D'autre part, j'ai probablement commis quelques fautes. Malgré beaucoup de bonne volonté, mais enfin, ce qui compte c'est que j'ai commis quelques fautes.

CAPITAINE FONTEJO (*d'un ton convaincu*). – Non, jamais.

ELLE. – Si, quelquefois. Mais je peux dire avec joie que je m'en suis toujours repentie, toujours.

CAPITAINE FONTEJO. – Tu es une sainte.

ELLE. – Tais-toi ! Que pourrais-je rêver de plus beau que la sainteté ! Je ne peux pas être une sainte. Pour être sainte, il faut être quelqu'un de très grand et, moi, je ne vaux rien. J'essaie seulement d'être bonne, sans plus de prétention.

La porte de la rue s'ouvre. Entrent les deux bourreaux portant mon père, pieds et poings liés et suspendu à un gros bâton, à peu près de la façon dont on transporte les lions ou les tigres capturés en Afrique.

Mon père est bâillonné ; en entrant dans la pièce, il lève la tête et regarde ma mère, en ouvrant tout grand les yeux et peut-être avec colère. Elle l'examine attentivement, avidement. Je vois passer le cortège avec une violente indignation. Les deux bourreaux, sans s'arrêter, traversent la pièce et transportent mon père de la porte de la rue jusqu'au cachot. Ils disparaissent tous trois.

MOI (*avec une grande indignation, m'adressant à ma mère*). – Qu'est-ce que c'est ? Dis-moi, qu'est-ce que ce nouveau forfait ?

CAPITAINE FONTEJO. – Ne parle pas à ta mère sur ce ton.

ELLE. – Laisse-le, laisse-le m'insulter. Laisse-le me faire des reproches. Laisse-le traiter sa mère comme un ennemi. Laisse-le. Laisse-le, Dieu punira cette mauvaise action.

MOI. – C'en est trop. *(Avec colère à ma mère.)* Qu'est-il arrivé à papa?

CAPITAINE FONTEJO *(prêt à se jeter sur moi)*. – Je t'ai déjà dit de parler poliment à ta mère. Comprends-tu? Poliment! Est-ce que tu entends?

ELLE. – Calme-toi, calme-toi, laisse-le me traiter grossièrement. Tu sais qu'il ne se plaît qu'à me faire du chagrin, donne-lui cette satisfaction. C'est mon rôle : me sacrifier pour lui et pour mon mari; leur donner tout ce qu'ils veulent.

CAPITAINE FONTEJO. – Je ne permettrai pas qu'il crie en s'adressant à toi.

ELLE. – Je t'en prie.

CAPITAINE FONTEJO. – Tu es trop bonne et il en profite.

ELLE. – Toi aussi, tu veux me faire souffrir? S'il est méchant, il fallait s'y attendre, mais toi tu es différent; c'est toujours ce que j'ai pensé, du moins. Laisse-le me torturer si cela réjouit son mauvais cœur.

CAPITAINE FONTEJO. – Non, jamais, du moins en ma présence.

On entend des coups de fouet puis des plaintes étouffées par le bâillon. C'est mon père; sans doute les bourreaux sont-ils en train de le flageller dans le cachot.

Elle et moi, nous nous dirigeons vers la porte du cachot. Elle écoute avidement, les yeux écarquillés, le

visage grimaçant (presque souriant?), hystérique.
Les coups de fouet redoublent pendant un long
moment. Mon père se plaint avec une dignité virile.
Enfin les coups et les plaintes cessent.

MOI *(à ma mère, au bord des larmes).* – C'est ta
faute si l'on torture papa. C'est toi qui l'as
dénoncé.
CAPITAINE FONTEJO *(violemment).* – Tais-toi. Ne
tourmente pas ta mère.
ELLE. – Laisse-le, laisse-le. Laisse-le m'insulter. Je
sais très bien que si tu n'étais pas là, il me bat-
trait. Mais c'est un lâche et il a peur de toi, c'est
tout ce qui l'arrête car il est très capable de lever
la main sur sa mère, je le lis dans ses yeux. Il a
toujours essayé.

Gémissement aigu de mon père. Elle fait une gri-
mace qui est presque un sourire. Silence.

ELLE. – Allons voir mon pauvre petit mari. Allons
voir comme il souffre, le pauvre. Car sans aucun
doute, ils ont dû lui faire beaucoup de mal.

Grimaces de ma mère. Elle s'approche du cachot,
entrouvre la porte et examine l'intérieur sans franchir
le seuil.

ELLE *(Elle s'adresse à mon père qui est dans le*
cachot et que, par conséquent, on ne peut voir.) –
Fernando, ces bourreaux ont dû te faire beaucoup de mal. Pauvre homme! Comme tu as dû
souffrir et comme ils vont encore te faire souffrir.
Mon pauvre mari!

Mon père, bien que gêné par le bâillon, pousse un
cri de colère.

ELLE. – Ne te mets pas dans cet état. Il vaut mieux que tu prennes patience. Pense que tu es seulement au commencement de tes peines. Tu ne peux rien faire en ce moment, tu es attaché et ton dos est plein de sang. Tu ne peux rien faire. Calme-toi ! D'ailleurs, tout ceci te fera grand bien, cela t'apprendra à avoir de la volonté, tu en as toujours manqué.

Elle se décide à franchir le seuil et entre dans le cachot. (Elle quitte donc la pièce.)

VOIX D' « ELLE » *(Elle parle comme si elle était à l'église, mais tout haut.)* – C'est moi qui ai dit que tu étais coupable.

Mon père veut parler, mais, gêné par le bâillon, il n'émet que des sons. On entend le rire anormal de ma mère. Je suis très excité. Elle reparaît.

ELLE. – Le pauvre souffre beaucoup, il n'a pas de patience, il n'en a jamais eu.

Plainte de mon père.

MOI. – Laisse papa. Ne continue pas. Ne vois-tu pas que tu le tourmentes ?
ELLE. – C'est lui qui se tourmente, lui seul, sans motif. *(De nouveau, elle parle à mon père à travers la porte.)*
Je vois bien que c'est toi qui te tourmentes tout seul. Je vois bien que mes paroles t'irritent. *(Pause-sourire.)*
Qui peut prêter plus d'attention que moi à ton malheur ? Je serai à tes côtés chaque fois que tu souffriras. Tu es coupable et ton devoir c'est d'accepter avec patience ton châtiment bien

mérité. Tu dois même remercier les bourreaux qui te traitent avec tant d'égards. Si tu étais un homme normal, humble et juste, tu les remercierais, mais tu as toujours été un révolté. Ne va pas t'imaginer à présent que tu es à la maison où tu faisais tes quatre volontés, maintenant, tu es au pouvoir des bourreaux. Accepte le châtiment sans rébellion. C'est ta purification. Repens-toi de tes fautes et promets que tu ne retomberas pas dans l'erreur. Et ne te tourmente pas en pensant que je me réjouis de te voir puni.

Long gémissement de mon père.

Moi. – Est-ce que tu n'entends pas ses plaintes ? Ne vois-tu pas que tu le tortures ? Laisse-le en paix !

Capitaine Fontejo. – Je t'ai déjà dit de ne pas parler à ta mère sur ce ton.

Elle. – Qu'il me parle comme il veut. J'y suis habituée. C'est mon lot : me faire du souci pour eux, pour lui et pour son père, qui ne le méritent pas, et que personne ne m'en remercie.

Plaintes de mon père.

Moi. – Papa ! papa !

Elle. – Il se plaint toujours. C'est signe qu'il souffre des blessures que lui font les coups de fouet et les cordes qui lui lient les pieds et les mains.

Elle ouvre le tiroir de la table et fouille à l'intérieur. Ensuite, elle pose sur la table un flacon de vinaigre et une salière qu'elle a trouvés.

Elle. – Voilà mon affaire. Je lui mettrai du vinaigre et du sel sur les plaies pour les désinfecter. Un peu de vinaigre et de sel sur les blessures feront merveille ! *(Avec un enthousiasme hystérique.)* Un peu de sel et de vinaigre ! Un tout petit peu sur chaque plaie, voilà ce qu'il faut.

MOI. – Ne fais pas ça.

ELLE. – C'est ainsi que tu aimes ton père ? Toi qui es son préféré, c'est ainsi que tu le traites. Toi, justement toi, mauvais fils ! Toi qui sais bien que les bourreaux le battront jusqu'à ce que mort s'ensuive, c'est maintenant que tu l'abandonnes et que tu ne me laisses même pas panser ses blessures.

Elle se dirige vers le cachot, le vinaigre et le sel à la main.

MOI. – Ne lui mets pas de sel ! S'ils le tuent de toute façon, laisse-le tranquille au moins, n'aggrave pas ses peines.

ELLE. – Que tu es jeune ! Tu ne sais rien de la vie, tu n'as pas d'expérience. Que serais-tu devenu sans moi ? La vie a toujours été très facile pour toi. J'ai tout fait à ta place. Tu es habitué à ce que ta mère te donne ce que tu désires. Souviens-toi bien de mes paroles. Ce sont celles d'une mère et une mère ne vit que pour ses enfants. Respecte la tienne, respecte-la, ne serait-ce que pour les cheveux blancs qui ornent son front. Pense qu'elle fait tout pour toi par affection. Quand as-tu vu, mon fils, que ta mère fasse quelque chose pour elle ? Je n'ai pensé qu'à vous. D'abord, mon enfant ; ensuite, mon mari. Moi je ne compte pour personne et encore moins pour moi. Voilà pourquoi, mon fils, à présent que je vais soigner les plaies de ton père, tu ne dois pas me barrer la route. D'autres baiseraient le sol que je foule aux pieds. Je ne t'en demande pas tant, je souhaite seulement que tu saches me remercier de mes efforts.

Elle se dirige vers le cachot avec le sel et le vinaigre.

ELLE. – Je vais mettre au pauvre petit père un peu de sel et de vinaigre sur ses blessures.

Je saisis brutalement ma mère par le bras et lui interdis l'entrée du cachot.

CAPITAINE FONTEJO. – Ne prends pas ta mère par le bras.

ELLE. – Laisse-le me battre. C'est ce qu'il a toujours cherché. Vois comme il a laissé la marque de ses doigts sur mon pauvre bras. Voilà ce qu'il cherchait : me frapper.

CAPITAINE FONTEJO *(très en colère).* – Comment as-tu osé battre ta mère ?

Le capitaine Fontejo essaie de me frapper. Elle s'interpose avec violence entre nous pour que le capitaine Fontejo ne me batte pas.

ELLE. – Non, en ma présence, non. Il peut m'écorcher vive s'il le veut, mais je t'en prie, ne le frappe pas en ma présence. Je ne veux pas qu'en ma présence il y ait des disputes entre vous deux. Il m'a battue, mais je lui pardonne.

Longue plainte de mon père.

ELLE. – Il souffre... ils le font souffrir... Il souffre beaucoup. Il faut que je lui mette du vinaigre au plus vite. Tout de suite.

Elle entre dans le cachot.

VOIX D' « ELLE ». – Un petit peu de sel et de vinaigre te feront beaucoup de bien. Ne bouge pas, je n'en ai pas beaucoup. Là, voilà.

Gémissement de mon père.

Voix d' « Elle ». – C'est ça, là, là, un petit peu de sel maintenant.

Cri de colère de mon père.

Moi. – *crie* : « Papa ! »
Voix d' « Elle ». – C'est ça, un petit peu plus, là, un petit peu plus, ne bouge pas. *(Elle parle, haletante.)* Ne bouge pas. Là. Encore un petit peu.

Gémissement de mon père.

Voix d' « Elle ». – C'est ça, encore un petit peu, là, là, ça te fera du bien. *(Plainte de mon père.)* Pour finir, voilà. *(Plainte de mon père.)* Il n'en reste plus !

Long silence. Plainte de mon père, silence.

Voix d' « Elle ». – Voyons ; voyons. Comment sont tes plaies ? Je vais les toucher pour voir comment elles sont.

Forte plainte de mon père. Trompant la vigilance du capitaine Fontejo, j'entre dans la salle.

Ma voix. – Que fais-tu ? Tu griffes ses blessures !

Je fais sortir ma mère du cachot en la poussant.

Le capitaine Fontejo se jette sur moi pour me frapper. Ma mère s'interpose et nous sépare.

Elle. – Non, non. *(Au capitaine Fontejo.)* Hélas ! C'est à moi que tu fais mal. Non, ne le bats pas. Je ne veux pas que tu le battes.
Capitaine Fontejo. – Je ne vais pas tolérer qu'il te fasse du mal.

ELLE. – Si, laisse-le me faire du mal. Laisse-le si cela lui plaît. C'est ce qu'il veut. Laisse-le. Il veut que je pleure à cause de ses coups. Mon fils est ainsi fait. Quel martyre! Quel calvaire! Pourquoi, mon Dieu, ai-je le malheur d'avoir un fils qui ne m'aime pas et qui ne cherche qu'un instant de faiblesse de ma part pour me battre et me tourmenter?

CAPITAINE FONTEJO *(furieux)*. – Je vais l'étrangler.

ELLE. – Calme-toi. *(Abattue.)* Quel calvaire! Quelle croix, mon Dieu! Pourquoi me punir ainsi, mon Dieu? Qu'ai-je fait pour m'attirer un tel châtiment? Ne vous disputez pas, faites-le pour cette pauvre femme qui ne cesse de souffrir, faites-le pour ses cheveux blancs. *(Au capitaine.)* Et s'il ne veut pas prendre en pitié mes peines, toi, au moins, aie pitié de moi. Ou est-ce que, toi non plus, tu ne m'aimes pas?

Le capitaine Fontejo, ému, veut dire quelque chose. Elle ne le laisse pas parler et poursuit.

ELLE. – Oui, c'est cela, tu ne m'aimes pas non plus.

CAPITAINE FONTEJO. – Si, moi je t'aime.

ELLE. – Est-ce que tu ne vois pas ma douleur? Est-ce que tu ne vois pas mon immense douleur?

CAPITAINE FONTEJO *(pleurant presque)*. – Si.

ELLE. – Merci, tu es l'unique consolation que Dieu m'ait donnée en cette vie.

On entend à nouveau les bourreaux fouetter mon père. Il sanglote. Nous écoutons en silence.

ELLE. – Ils le fouettent encore... Et ils doivent lui faire beaucoup de mal... Il pleure! Il pleure... Il gémit n'est-ce pas? Oui, oui, il gémit, il gémit. Je l'entends parfaitement.

Coups de fouet et gémissements.
Mon père, tout à coup, pousse un cri plus aigu.
Les bourreaux continuent à frapper.
Mon père ne gémit plus.
Elle va à la porte et regarde à l'intérieur du cachot.

ELLE. – Ils l'ont tué ! Ils l'ont tué !

Silence absolu.
Je m'assois, appuie ma tête sur la table. Silence.
Longue pause.
Entrent les deux bourreaux avec mon père attaché
comme la première fois.
Il est mort.
Sa tête pend, inerte.

ELLE *(aux bourreaux).* – Laissez-moi le voir. Laissez-moi le voir comme il faut, à présent qu'il est mort.

Les bourreaux, sans prêter attention à ma mère,
traversent la salle et sortent par la porte de la rue.
Elle et le capitaine Fontejo s'assoient à ma gauche
et à ma droite. Ils me regardent. Silence.

MOI *(à elle).* – Ils ont tué papa à cause de toi.
ELLE. – Comment oses-tu dire cela à ta mère ? A ta mère qui s'est toujours saignée pour toi ?
MOI *(l'interrompant).* – Ne me raconte pas tes rengaines.

Le capitaine Fontejo, abattu, n'intervient pas.

ELLE. – Oui, mon fils, comme tu voudras. Si cela te fait plaisir, je dirai que c'est ma faute. C'est ce que tu veux ?
MOI. – Assez de discours entortillés. *(Pause.)* Pourquoi as-tu traité papa de cette façon, papa à qui tu ne pouvais faire aucun reproche ?

ELLE. – C'est ça. Je m'y étais toujours attendue, toute ma vie. Après que ton père a compromis l'avenir de son enfant et de sa femme parce qu'il...

MOI *(l'interrompant).* – Qu'est-ce que cette histoire d'avenir compromis ? Qu'est-ce que cette nouvelle invention ?

ELLE. – Ah ! Mon fils ! Quelle douleur ! Quel calvaire ! *(Pause.)* Bien sûr qu'il a compromis l'avenir de son enfant par ses faiblesses. Il savait bien que, s'il continuait dans cette voie, il finirait tôt ou tard comme il a fini. Il le savait bien, mais il n'a pas changé, il a suivi, vaille que vaille, son coupable chemin. Combien de fois le lui ai-je répété ? Combien de fois lui ai-je dit : tu vas me laisser veuve et ton fils orphelin. Mais qu'a-t-il fait ? Il a négligé mes conseils et il a persisté dans ses erreurs.

MOI. – Tu es la seule à dire qu'il était coupable.

ELLE. – Oui, bien sûr, maintenant, non content de m'avoir insultée pendant toute la nuit, tu vas me taxer de menteuse et tu vas affirmer que je suscite de faux témoignages. Voilà comme tu traites une mère qui, depuis ta naissance, t'a prodigué tous ses soins et consacré toute son attention. Tandis que ton père compromettait allègrement ton avenir, j'ai veillé sur toi, et je n'ai eu qu'un but, te rendre heureux, te donner tout le bonheur que je n'ai pas connu. Parce que, pour moi, la seule chose qui compte, c'est que tu sois satisfait, tout le reste n'a aucune importance. Je suis une pauvre femme ignorante et sans instruction qui ne désire que le bien de son enfant, coûte que coûte.

CAPITAINE FONTEJO *(conciliant).* – Les lamentations sont inutiles maintenant, ton père est mort, on ne peut plus rien y faire.

ELLE. – Le capitaine a raison.

Long silence.

MOI. – On aurait pu éviter la mort de papa.

ELLE. – Comment ? Est-ce ma faute ? Non. C'est lui le coupable, lui-même, ton père. Que pouvais-je faire ? Que pouvais-je faire contre lui ? Il s'est obstiné : je ne suis qu'une pauvre femme sans aucune culture et presque sans instruction, j'ai passé toute ma vie à m'inquiéter pour les autres, en m'oubliant moi-même. Pour moi, c'est vous qui comptez. Quand m'as-tu vue acheter une jolie toilette ou aller au cinéma ou aux premières de théâtre qui me plaisaient tant ? Non, je n'en ai rien fait, malgré tout le plaisir que j'en aurais tiré, et tout cela, uniquement parce que j'ai préféré me consacrer à ton père et à toi corps et âme. Je ne te demande qu'une chose : que tu ne sois pas ingrat et que tu saches apprécier le sacrifice d'une mère comme celle que tu as eu la chance d'avoir.

CAPITAINE FONTEJO. – Moi, j'apprécie tout ce que tu as fait pour eux.

ELLE. – Oui, toi, je sais bien, mais mon fils, non. Pour lui c'est encore trop peu. Ce n'est pas suffisant. Comme nous pourrions être heureux, si nous étions unis, tous d'accord !

CAPITAINE FONTEJO. – Oui, nous devrions mutuellement nous comprendre et vivre en paix tous les trois. Ta mère est très bonne, je sais qu'elle t'aime beaucoup et qu'elle te donnera tout ce dont tu auras besoin. Même si ce n'est que par égoïsme, reviens à nous. Nous vivrons tous les trois heureux et dans la joie en nous aimant.

MOI. – Mais... *(Pause.)* Papa...

CAPITAINE FONTEJO. – C'est déjà passé. Ne regarde pas en arrière. Ce qui importe, c'est l'avenir. Ce serait trop bête de s'en tenir au passé. Tu n'auras que des satisfactions avec ta mère. Tout ce qui est à elle t'est destiné. N'est-ce pas?

ELLE. – Oui, tout ce qui est à moi sera à lui. *(Héroïquement.)* Je lui pardonne.

CAPITAINE FONTEJO. – Tu vois comme elle est bonne : elle te pardonne, même.

ELLE. – Oui, je te pardonne et j'oublierai toutes tes insultes.

CAPITAINE FONTEJO. – Elle oubliera tout! Voilà l'important. Ainsi nous vivrons sans rancune tous les trois ensemble ; ta mère, et toi et moi. Quoi de plus beau?

MOI *(à demi convaincu).* – Oui, mais...

CAPITAINE FONTEJO. – Ne sois pas rancunier. Imite ta mère. Elle qui a ses raisons d'être fâchée contre toi a promis de tout oublier. Nous serons heureux, si tu veux être gentil.

Je baisse la tête, ému. Long silence. Le capitaine Fontejo pose son bras sur mon épaule.

CAPITAINE FONTEJO. – Embrasse ta mère.

Je m'approche d'elle et je l'embrasse.

ELLE. – Mon fils!

CAPITAINE FONTEJO. – Demande pardon à ta mère.

MOI *(pleurant presque).* – Pardonne-moi, maman.

Elle et moi, nous nous étreignons. Le capitaine Fontejo se joint à nous et, tous trois, nous restons enlacés.

7

Plusieurs mois après avoir été opéré d'un poumon, j'ai passé quelques jours à une vingtaine de
kilomètres de Burgos. Dans une très modeste pension. J'avais conçu le projet (impossible, absurde...,
c'est ce que je me répétais) de consulter les archives
de la prison de Burgos, où mon père avait vécu ses
dernières années. A vrai dire je ne nourrissais guère
l'espoir de pouvoir obtenir l'autorisation nécessaire.

Et, cependant... j'ai réussi à pénétrer à l'intérieur
de la prison. De la façon la plus simple. Les gar-
diens m'ont ouvert les différentes grilles qui en pro-
tégeaient l'entrée. J'ai traversé une cour, et j'ai
parcouru plusieurs couloirs étroits, toujours en
compagnie d'un fonctionnaire. Je suis arrivé enfin
jusqu'aux bureaux.

On m'a traité avec une certaine cordialité. J'en
fus si surpris ! Sans y accorder la moindre importance, on m'a permis de consulter le *dossier* de mon
père. C'était un ensemble de feuilles manuscrites
intitulé : *Dossier pénal et pénitentiaire de Fernando
Arrabal Ruiz.* Y figurent de nombreuses entrées
(signées par un officier de la prison avec le cachet
officiel) comme celle-ci :

7 juin 1939,
Année de la Victoire.

A Monsieur Le Directeur de la Prison
Centrale de Burgos.
De la part de la Direction Nationale des
Prisons.

Viva Franco !
Arriba España !

En ce jour et escorté par les forces d'accompagnement sort de la Prison de Ciudad Rodrigo, pour être admis dans celle que vous avez l'honneur de diriger, l'ex-lieutenant d'Infanterie
don Fernando Arrabal Ruiz
en vertu de l'ordre télégraphié par la Direction Nationale des Prisons, daté du deux de ce mois, afin de continuer à purger, dans cet établissement, la peine infligée.

Je vous prie d'accuser réception de son admission.

En même temps je vous signale que les fiches du registre Index et Physio-technique ont été adressées à la Direction Nationale, ainsi qu'un rapport en triple exemplaire, selon les ordres reçus.

Le susdit individu a été vacciné contre la variole.

Que Dieu vous ait longtemps en sa Sainte Garde.

Pour Dieu, l'Espagne et sa Révolution Nationale Syndicaliste.

J'appris, fort étonné, qu'on avait proposé une commutation de peine pour mon père, et même sa liberté immédiate :

Télégramme du 8 septembre 1941.

Au Dir. de la Prison Centrale de Burgos.
De la Direction Générale des Prisons.

Procédez d'urgence aux formalités concernant dossier liberté conditionnelle du prisonnier Fernando Arrabal Ruiz. Il a été proposé la commutation de sa condamnation à perpétuité en celle de six ans et un jour.

*

9 septembre 1941.
Proposition de commutation de la peine de Fernando Arrabal Ruiz.

D'après les renseignements provenant de Melilla et Ceuta la sentence est consignée ainsi que des déclarations faites en ce bureau par le condamné Antonio D. R. qui a été en rapport avec le condamné de ce dossier et connaît tous ces détails.

*

Burgos, 19 octobre 1941.

La Direction Générale des Prisons a l'honneur d'informer le Directeur de la

Prison Centrale de Burgos, touchant la proposition de liberté conditionnelle en faveur du condamné Fernando Arrabal Ruiz, des faits suivants :

que cette Direction, lorsque cette proposition a été émise, s'est adressée à l'épouse dudit condamné afin que celle-ci puisse lui exprimer ses désirs, au sujet de la situation où se trouvera ce dernier quand il obtiendra la liberté conditionnelle. Ci-joint copie des lettres de l'épouse qui ont été reçues ;

qu'étant donné les documents réunis, l'endroit où la liberté conditionnelle devra avoir lieu ne relève pas de la compétence de cette Direction. Celle-ci a cru opportun d'entendre l'épouse.

*

2 novembre 1941.

Son Excellence Monsieur le Gouverneur Civil de la Province a été informé par notre Direction Générale des Prisons de l'ordre décrétant la liberté condition- nelle de Fernando Arrabal Ruiz.

Pour la libération de ce condamné l'épouse de ce dernier réfléchit. Au cas où celle-ci ne prendrait aucune déci- sion, il sera enfermé dans un asile d'aliénés.

*

4 novembre 1941.

Après approbation ministérielle le
bénéfice de la liberté conditionnelle a
été accordé au condamné Fernando Arrabal
Ruiz, de cette Prison Centrale de Burgos,
conformément au Décret du 1er avril 1941,
en vertu de l'ordre télégraphié par la
Direction Générale des Prisons.

Ledit condamné fixera sa résidence à
Burgos, à l'Hôpital Provincial – Pavillon de Psychiatrie –, jusqu'à ce qu'il
soit définitivement libéré;

il aura l'obligation de se rendre
directement à l'endroit désigné et, dès
son arrivée, de se présenter aux autorités locales, au chef de la *Falange
Española Tradicionalista et des JONS
[Juventudes de Ofensiva Nacional Sindi-
calista]*, au Maire Président de l'Hôtel
de Ville et au Chef de la Garde Civile,

et de ne pas changer de résidence sans
autorisation du Directeur ou Chef de la
Prison ou, à défaut, des Autorités Gou-
vernementales.

Dans une lettre mensuelle, il indi-
quera s'il a trouvé un emploi et la rému-
nération perçue pour son travail.

Quant au reste il jouira d'une liberté
semblable à celle des citoyens libres.

On lui recommande que sa conduite soit
le fidèle reflet de celle qu'il a obser-
vée dans cet établissement, assuré qu'il
sera ainsi d'obtenir sa liberté défini-
tive et de se rendre digne de l'estime de
toutes les personnes de son entourage
dans son travail et ses fréquentations;

en développant ses activités, non seulement à son propre avantage, mais pour le bien du Nouvel Etat National qui le protège.

(Empreintes digitales du pouce droit et de l'index droit de Fernando Arrabal Ruiz.)

(Signé : Le Directeur.)

*

Burgos, 4 novembre 1941.
A Mr le Directeur de l'Hôpital Provincial.
Du Directeur de la Prison Centrale de Burgos.

Son Excellence le Gouverneur Civil de cette province a été averti de l'internement à l'Hôpital Provincial – Pavillon de Psychiatrie – du condamné Fernando Arrabal Ruiz.

Ledit condamné a bénéficié de la liberté conditionnelle par un télégramme de la Direction Générale des Prisons.

Son épouse, avec qui cette Direction a entretenu une correspondance, vit à Madrid à l'adresse que je vous communique en vue des conséquences qui découleront de sa nouvelle situation.

Fernando Arrabal Ruiz, quant à une éventuelle responsabilité, est déclaré n'en avoir aucune dans cet Etablissement.

S'il avait disposé d'un domicile, il aurait été remis en liberté.

Signé : Le Directeur.

*

Burgos, 4 novembre 1941.

Du Directeur de la Prison Centrale de Burgos A.
Au Directeur Général des Prisons.

En exécution de votre ordre télégraphié du 1er de ce mois, est mis aujourd'hui en liberté conditionnelle provisoire sans interdiction de séjour le condamné Fernando Arrabal Ruiz... qui est remis aux fonctionnaires de l'Hôpital Provincial de cette ville.

Il est à la disposition de son épouse si elle veut le recueillir.

(Signé : Le Directeur.)

*

Burgos, 4 novembre 1941.

Le chef des Services prend toutes dispositions pour que Messieurs les Fonctionnaires de Service à la Grille et à la Porte principale de la Prison autorisent la sortie, après identification préalable, du condamné Fernando Arrabal Ruiz, qui sort en liberté conditionnelle, en vertu d'un ordre des autorités supérieures.

Il est remis à un employé de l'Hôpital Provincial (Pavillon Psychiatrique).

Année de la Victoire
(Signé : Le Directeur.)

Monsieur le Chef des Services
Que ce que la présente ordonne soit exécuté

(Signé : Le chef de Service.)

Exécuté
(Signé : La Grille.)
(Signé : Le service de la porte princi-
pale.)

j'ai exécuté les ordres.
(Signature illisible.)

*

Le dossier contenait aussi, entre autres, ces lettres
et documents écrits avant et après l'évasion (le
29 décembre 1941) de mon père :

Madrid, 14 octobre 1941.

Monsieur le Directeur de la Prison
Centrale de Burgos.

Cher Monsieur,

Afin d'obtenir que mon mari, l'ex-
lieutenant Fernando Arrabal Ruiz qui
purge sa peine dans ce pénitencier puisse
être transféré, le jour où il sortira,
dans un asile militaire pour aliénés, je
souhaiterais que soit portée à la
connaissance du Capitaine Général de
cette Région la maladie dont il est
atteint.
Je désire en outre solliciter auprès de
vous une autre faveur : celle de me faire
connaître la décision afin de trouver une

solution concernant l'asile où il se rendra le jour de sa libération qui, comme vous le savez, est proche.

Vous voudrez bien m'excuser de vous importuner en tenant compte de la situation où je me trouve en raison des circonstances.

Je vous en remercie d'avance et vous prie d'agréer mes respectueuses salutations.

Votre...

*

Madrid, 11 novembre 1941.

A Monsieur le Directeur
de l'Hôpital Provincial.

Cher Monsieur,

Vous voudrez bien m'excuser si je m'adresse à vous pour vous prier de me dire quelle est l'opinion des médecins qui l'observent dans cet hôpital, et où il serait envoyé si, comme je l'espère, les études effectuées au sujet de sa maladie aboutissaient à un diagnostic le déclarant malade mental incurable.

J'aimerais également savoir où il serait envoyé après la période d'observation.

Vous voudrez bien excuser mon audace en tenant compte de ma situation qui ne me permet pas des frais de voyage : je vis de mon modeste salaire avec lequel je dois subvenir aux besoins de mon fils. Le destin l'a mis dans la triste situation de n'avoir d'autre secours que le travail d'une mère ; laquelle, en outre, ne s'était jamais vue dans l'obligation d'avoir à travailler.

Avec mes remerciements anticipés, je vous prie d'agréer mes respectueuses salutations.

*

Madrid, 3 décembre 1941.

A Monsieur le Directeur de la Prison Centrale de Burgos.

Cher Monsieur,

Je suppose que vous est parvenue une lettre dans laquelle je sollicitais de vous un certificat qui me permettrait de percevoir les sommes correspondant à la période où mon mari, l'ex-lieutenant Fernando Arrabal Ruiz, a été prisonnier. Comme on ne m'a encore rien envoyé, je crains que ma lettre précédente ne se soit égarée, c'est pourquoi je me permets d'insister à ce sujet.

Vous comprendrez aisément combien ces sommes me font défaut.

Avec mes remerciements, et en vous priant de bien vouloir excuser ce dérangement, je vous prie d'agréer mes respectueuses salutations.

*

Burgos, 11 décembre 1941.

JE CERTIFIE :

Que le condamné, actuellement en liberté conditionnelle sans interdiction de séjour, Fernando Arrabal Ruiz, a séjourné dans cet établissement du 13 mars 1939 au 4 novembre dernier, date à laquelle il a bénéficié de la liberté conditionnelle. Ledit prisonnier a été condamné à la peine de réclusion à perpétuité lors du procès n° 359 1936 ayant eu lieu dans la place-forte de Ceuta, pour délit de rébellion militaire, et actuellement il bénéficie de la liberté conditionnelle ;

De son dossier pénal il ressort qu'il lui a été attribuée une pension alimentaire de 3 pesetas par jour en tant qu'« indigent », selon les dipositions de la circulaire du 19 novembre 1935 (D.O. n° 270).

*

Madrid, 17 décembre 1941.

A Monsieur le Directeur de l'Hôpital Provincial.

Monsieur,

Je sollicite officiellement que mon mari Fernando Arrabal Ruiz soit transféré dans un asile d'aliénés militaire.

J'espère que la réponse à ma demande sera favorable.

Je vous prie donc, si cela est possible, de le garder dans cet établissement jusqu'à ce que son cas soit résolu.

Si vous ne pouvez accéder à cette requête, comme je ne possède pas de biens et ne peux, à cause de mes occupations, prendre soin de lui, s'il vient le jour où il doit sortir de votre établissement, envoyez-le dans un asile d'aliénés.

Je ne peux en aucune manière me charger de lui. En effet, pour faire face aux besoins de mon fils, je dois travailler toute la journée hors de chez moi.

Merci infiniment pour tout, et veuillez agréer mes respectueuses salutations.

*

9 janvier 1942.

Chère Madame,

Je vous annonce que le 29 du mois dernier votre mari en observation dans cet Hôpital s'est évadé du Pavillon des aliénés, évasion que je ne vous ai pas communiquée plus tôt afin de vous épargner un choc pénible. En effet j'espérais, comme j'avais fait part de sa fuite à la police, qu'il serait arrêté en ville ou dans ses environs, et qu'il réintégrerait le Pavillon.

Comme les jours passent sans qu'il soit arrêté, je dois vous en faire part afin

que vous engagiez les démarches que vous
jugerez nécessaires, afin de découvrir
où il se trouve et de pouvoir le conduire
à l'asile de votre choix.

En effet, il ne pourrait pas revenir
ici, car ce Département est uniquement
destiné aux malades mentaux originaires
de cette province où ils sont ensuite
emmenés dans les asiles avec lesquels la
Députation a passé un accord.

Je vous prie d'agréer mes meilleures
salutations.

*

Madrid, 13 janvier 1942.

A Monsieur l'Administrateur
de l'Hôpital Provincial.

Monsieur,

Je reçois votre lettre du 9 de ce mois
dans laquelle vous m'apprenez que mon
mari, Fernando Arrabal Ruiz, a quitté
votre établissement.

Ici, à Madrid, il n'a pas paru. Comme
vous avez dû faire tous les efforts possibles, étant donné que cela vous
incombe, afin de découvrir où il se
trouve, j'espère qu'il sera déjà de
retour dans votre hôpital.

Ce que je souhaiterais c'est que,
puisque vous dites qu'il ne peut y rester, vous m'indiquiez dans quel asile il
a été conduit.

En vous remerciant pour toutes vos attentions et en vous priant de répondre le plus vite possible à ma demande, je vous prie d'agréer mes respectueuses salutations.

*

Madrid, 12 février 1942.

Monsieur,

Vous ne me dites rien au sujet de mon mari, Fernando Arrabal Ruiz.

En effet, je pense que si vous saviez quelque chose, je suis convaincue que vous me l'auriez fait savoir, du moins en m'envoyant les pesetas qui sont restées dans votre établissement.

Comme j'ai besoin d'argent pour entreprendre les recherches que je souhaite engager, je vous prie de nouveau de m'envoyer l'argent en question par virement postal.

En espérant que vous saurez excuser un tel dérangement, comprendre combien ma situation est angoissante et ma nervosité constante, je vous prie d'agréer, avec mes remerciements anticipés, mes respectueuses salutations.

*

Madrid, 26 octobre 1942.

A Monsieur l'Administrateur
de l'Hôpital Provincial.

Monsieur,

Je suis la femme de Fernando Arrabal Ruiz lequel, selon ce que vous-même m'avez dit, a quitté ce lieu à la fin du mois de décembre.

Comme je suis pleinement convaincue de son décès, je vous prie, étant assurée de m'adresser à un homme d'honneur et à un chrétien, de trouver le moyen de m'envoyer le plus vite possible le certificat de décès.

C'est une chose dont vous ne pouvez supposer à quel point elle me fait atrocement défaut.

C'est pourquoi je vous adresse de tout cœur mes remerciements anticipés.

*

19 novembre 1942.

Chère Madame,

J'ai bien reçu votre dernière lettre et me rends parfaitement compte de votre situation.

Emu par vos raisons si impérieuses, j'ai tenté de vérifier si votre époux était inscrit comme décédé dans le Registre Civil de cette ville.

Vous supposez qu'il doit avoir disparu et que son décès a dû avoir lieu ici, mais je n'ai pas pu le vérifier car l'on m'a dit que sans connaître la date approximative du décès on ne peut se mettre à chercher cette inscription pendant une année entière, encore moins sans être sûr du décès.

J'ai aussi eu un entretien avec la police où l'on m'a informé que la Direction Générale le 21 mars de cette année a publié un Ordre Général décrétant que l'on doit « Rechercher et capturer » votre époux, le lieutenant Fernando Arrabal Ruiz.

On suppose que l'ordre n'ayant pas été annulé cela prouve qu'il n'a pas été retrouvé.

Je déplore vivement votre triste situation et désire ardemment que Dieu permette qu'on découvre bientôt où se trouve votre époux. Ne se pourrait-il pas qu'il soit caché en quelque autre endroit? Pourquoi ne faites-vous pas cette démarche?

Je vous prie d'agréer mes respectueuses salutations.

*

Madrid, 16 décembre 1942.

A Monsieur l'Administrateur
de l'Hôpital Provincial.

Monsieur,

Je m'adresse de nouveau à vous pour vous importuner mais vous vous rendez bien compte que je suis une mère et que pour le bien de mon fils je dois faire tout mon possible.

Vous me disiez dans votre lettre de vous donner la date du décès de mon mari,

Fernando Arrabal Ruiz, mais vous tous plutôt que moi pouvez la déduire car un homme sans ressources, sans papiers, ne connaissant pas le pays et ayant perdu ses facultés mentales, où pouvait-il aller pour que la Garde Civile ni quiconque ne l'ait trouvé?

Ses jours ont dû être comptés après la date du 29 décembre de l'année dernière où il s'est échappé.

Vous pouvez en toute conscience faire établir un certificat de décès qui m'est si nécessaire pour l'avenir de mon fils et pour son présent.

Comme vous m'avez toujours montré que vous êtes un homme honnête et ayant bon cœur, j'attends avec confiance de recevoir rapidement votre lettre et le document si nécessaire.

Recevez mes remerciements anticipés, j'attends avec impatience de vos nouvelles.

Votre dévouée.

*

Madrid, 3 septembre 1943.
A Monsieur l'Administrateur
de l'Hôpital Provincial.

Monsieur,

Ayant besoin, afin d'obtenir une pension suite à la disparition de mon mari, Fernando Arrabal Ruiz, d'un certificat attestant qu'il s'est évadé de votre pri-

son, je vous prie de bien vouloir me
l'envoyer.

Je vous serais très reconnaissante de
veiller à ce qu'il me soit adressé dans
les plus brefs délais.

Avec mes remerciements anticipés.

                    *

                              9 octobre 1943.

    Chère Madame,

J'ai le plaisir de vous adresser ci-
joint le certificat que vous m'avez
demandé et je serais très heureux qu'il
puisse vous servir à obtenir ce que vous
souhaitez. Je vous prie d'agréer mes
meilleures salutations.

                Votre toujours dévoué.

                    *

                Madrid, 10 décembre 1943.

        A Monsieur l'Administrateur
          de l'Hôpital Provincial.

    Monsieur,

Il me faut de nouveau avoir recours à
vous, comme je le fais, pour vous demander deux choses.

La première. Je ne sais si vous le
savez, mais quant à moi j'en suis sûre,
mon mari Fernando Arrabal Ruiz a tenté de
se supprimer de la seule façon qui était à
sa portée dans la prison de Burgos, en

cessant de s'alimenter, ce qui lui a valu des perfusions afin de pallier le manque de nourriture qu'il a refusé de prendre pendant assez longtemps.

J'ai besoin, comme je vous le dis, d'un certificat libellé de telle sorte qu'il ne subsiste aucun doute quant à sa tentative de suicide.

Comme je ne connais pas le Chef de la Prison, je souhaiterais que vous lui demandiez ce papier qui me fait tant défaut.

Je désirerais aussi que votre Hôpital m'en envoie un second indiquant aussi sa tentative de suicide, lorsqu'il a essayé de se jeter par les fenêtres de votre Centre. Dans ces deux documents, plus on forcera la note (comme on dit vulgairement) à propos de ses tentatives de suicide, en certifiant que cela est arrivé plusieurs fois (etc.), plus cela me sera utile dans mes démarches.

Avec mes remerciements, veuillez agréer mes meilleures salutations. Je vous prie de m'envoyer ces deux certificats le plus tôt possible.

*

Burgos, 3 janvier 1945.

Chère Madame,

Je ne peux vous envoyer le certificat que vous sollicitez au sujet de la tentative de suicide de votre mari, Fernando Arrabal Ruiz, puisque officiellement dans le dossier pénal de l'intéressé il n'est pas attesté qu'il ait tenté de se suicider.

Je vous prie d'agréer mes meilleures salutations (Signé : La Direction de la Prison Centrale de Burgos).

*

8 octobre 1945.

Chère Madame,

Jusqu'à ce jour je n'ai reçu aucune réponse de Monsieur le Directeur de la Prison Centrale de cette ville, avec qui je suis lié d'amitié et à qui j'ai adressé votre dernière lettre en lui recommandant de rédiger, si possible, le certificat dont vous avez besoin.

Dans sa réponse il m'envoie un résumé du dossier de votre mari où il n'y a aucune preuve qu'il ait tenté de se suicider, raison pour laquelle il ne peut rédiger le certificat que vous demandez, car il dit qu'il [votre mari] n'a à aucun moment tenté de se suicider et qu'il était enclin uniquement à s'évader. Je regrette beaucoup d'avoir à vous donner de si peu encourageantes nouvelles et je me réjouirais cependant si vous obteniez ce que vous souhaitez.

Je vous prie d'agréer mes meilleures salutations.

8

Quelques semaines après mes découvertes à la prison de Burgos j'ai pris la décision d'émigrer. Un bref échange de lettres avec ma mère et le capitaine Fontejo suivit de peu mon départ en exil.

Lettre à ma mère :

Chère maman,

Combien de fois j'ai essayé de t'écrire en oubliant tout ! Mais qui suis-je pour solliciter quoi que ce soit de quiconque ? Et moins encore de toi ? L'espoir dure encore, même à demi évanoui dans la pénombre.

Comme il me coûte de t'aimer de cet amour qui pendant des années a paré de joie et de calme des instants de mon enfance et de mon adolescence ! Peut-être m'aimes-tu encore comme avant le jour où j'ai découvert la tragédie de papa.

Tu réponds à mes questions par ta mélodie préférée : « Je suis une pauvre veuve... », « Ma santé est si délicate... », « Moi je ne sais pas écrire comme toi... », « Toi, encore enfant, à l'âge de dix ans, tu as reçu le prix national des surdoués, mais moi, pauvre de moi... ».

Cette litanie te permet d'écarter le sombre murmure des interrogations. En tête à tête avec toi-même ce chapelet doit flatter ton goût des faux-fuyants et des échappatoires.

Papa se dresse entre toi et moi dans les ruines du souvenir.

A présent je ne peux plus me laisser emporter dans les hauteurs par cet amour pour toi d'une si frêle harmonie. Tu n'as jamais débrouillé l'écheveau de l'énigme.

Je n'ai rien entendu de ta bouche pour tenter de l'élucider. Comme si tu te jugeais coupable, un doigt sur les lèvres.

Depuis qu'on a mis papa au cachot le 17 juillet 1936 au fort María Cristina de Melilla, tu t'es opposée à lui avec une immense ardeur. Il n'a reçu ni ton appui moral ni aide matérielle : ni lettres de consolation ni colis de nourriture. Je souhaite tant me tromper !

Tu as accablé l'homme emprisonné en lui répétant : « Tu as joué ton avenir, celui de ta femme et de ton enfant pour la politique. »

Un gardien de la prison de Burgos (on me l'a présenté sous le nom de Manolo) se souvient encore de ton comportement envers lui lors de tes rares visites. Aucune à partir de décembre 1938. Dans les limbes de l'ignorance, il s'est permis de critiquer ton attitude en des termes tels que je lui ai demandé de modérer ses expressions.

J'ai pu lire la lettre que t'a envoyée le directeur de la prison de Burgos (Amadeo Cuesta). Elle figure parmi les documents que tu caches dans le cagibi comme une vieille douleur. Il te demande de te montrer compréhensive envers ton mari... ou de ne pas lui écrire des « lettres si terribles ». Pour qu'en 1940 un directeur de prison de la « Nouvelle

Espagne» ose défendre un prisonnier politique dans ce recoin fermé à toute mansuétude...

La bouche amère, j'ai lu d'autres lettres de toi dans les bureaux de la prison de Burgos. Tu prétendais que papa avait perdu la raison.

Enveloppée de fumée, tu tâchais de convaincre l'Administration pour que, quand il obtiendrait la «liberté conditionnelle», on l'enferme à nouveau. Mais, cette fois, dans un asile d'aliénés. Comme j'ai de la peine en écrivant ces lignes! Montre-moi, je t'en prie, que je me trompe!

Ton rêve brisé, un mois après l'évasion de papa tu as tenté de mobiliser la police pour découvrir... son cadavre. Tu voulais être veuve, avoir la preuve de sa mort. Dix mois seulement après son évasion tu réclames avec insistance son certificat de décès, son cercueil de papier.

Mais personne n'a pu retrouver son cadavre... papa avait disparu.

Tu m'as caché la vérité. Pendant des années j'ai cru être orphelin et une grande ombre m'a recouvert. «Je ne t'ai pas dit que ton père n'était pas mort pour t'éviter des complications avec les autorités!» Le gouvernement, la police, les juges, les voisins, tout le monde connaissait la vérité. Moi seul l'ignorais, reclus dans les ténèbres. As-tu tenté de faire mourir papa dans mes pensées?

Il n'a pas joué son avenir; ce sont ceux qui ont déclenché le «soulèvement» et la guerre civile qui ont joué le leur. La rébellion militaire a commencé justement à Melilla, où nous vivions, le 17 juillet 1936. Papa devait forcément choisir, ou rester fidèle à ses idées et embrasser la cause du gouvernement légal de Madrid, ou participer à une révolte dangereuse et aléatoire. Il a préféré, écoutant ainsi la voix de son honneur et de ses convictions, demeurer fidèle au gouvernement démocratiquement élu. S'il avait écouté le rauque murmure du calcul, il aurait agi exactement de la même façon.

Une partie importante du pays n'a pas été en proie à l'ouragan. Et le pronunciamiento a échoué.

Les rebelles, campés dans leur fiasco, l'ont transformé en une incivile guerre civile. En trois ans de combats acharnés. Huit jours après le début des hostilités, un haut fonctionnaire hitlérien faisait part à son gouvernement de son scepticisme quant aux chances des rebelles de l'emporter.

... L'évolution de la situation depuis le commencement de la révolte montre clairement une continuelle augmentation des forces et du progrès en ce qui concerne le Gouvernement, et un arrêt et un recul du côté des rebelles, dont l'unique vaste offensive à travers les montagnes du Guadarrama en direction de Madrid s'est arrêtée et a reculé. Cela est dû surtout au fait que l'avance des rebelles venus du Sud n'a pas abouti, de sorte que le Gouvernement a pu lancer toutes ses forces contre les attaquants du Nord. Ainsi, donc, la situation militaire en général s'est montrée beaucoup plus favorable au Gouvernement.

Les forces comparées des deux bords, pour ce qui est du moral et de la propagande, également continuent à pencher en faveur du Gouvernement. Ce dernier annonce un programme qui touche les grandes masses du peuple : défense de la liberté, progrès, lutte contre la réaction sociale et politique. Ses défen-

seurs sont des hommes politiques qui
savent parfaitement emprunter les voies
menant à la démagogie, à la propagande et
à la rhétorique. Ils savent manipuler la
Presse et la Radio avec habileté et téna-
cité et sont capables d'exercer une forte
influence sur une population analphabète
à 45 %, très attardée par rapport au reste
de l'Europe en tout ce qui concerne le
développement, et sur laquelle le jargon
démocratique continue à exercer ses
attraits. Leurs adversaires sont des
généraux qui ne peuvent y avoir recours
et n'ont pas un programme clair et défi-
nitif excepté, peut-être, le *slogan* de la
lutte contre le communisme. La comparai-
son dans le domaine de la propagande
affecte aussi le terrain militaire. Les
membres de la milice rouge sont pleins de
ferveur combative et fanatique et ils se
battent avec un courage exceptionnel, ce
qui provoque les pertes auxquelles on
peut s'attendre. Cependant, celles-ci
sont facilement couvertes par la masse de
la population, tandis que les rebelles
qui ne disposent que de troupes manquent
généralement de ces réserves.

Si quelque événement imprévisible ne
se produit pas, il est difficile d'espérer qu'au vu de tout cela la révolte militaire puisse triompher, mais la lutte se
poursuivra probablement pendant un certain temps. J'ai l'impression que la
situation réelle n'est pas généralement
reconnue en Allemagne et que, en parti-
culier, la Radio allemande la présente

d'une manière excessivement favorable
aux rebelles, probablement à cause de
l'influence des émissions des rebelles
qui ne doivent être tenues pour véri-
diques que jusqu'à un certain point. A
différentes reprises j'ai relevé des
informations fort peu conformes à la
vérité communiquées par ces émissions.
Je conseille qu'on donne des instruc-
tions pour l'orientation de la Presse et
de la Radio.

                    Schewedenman, 25 juillet 1936.
                    German Foreign Policy, D-III p.13.

Quand tu m'as mené voir papa à la prison de
Melilla, il t'a suppliée : « La seule chose que je
désire, c'est embrasser mon fils. » Tu le lui as
refusé. « Tu n'en es pas digne. » Le directeur du
pénitencier, brisant ton élan, t'a enjoint de ne plus
revenir le voir accompagnée de ton fils. Dis-moi, je
t'en prie, qu'on m'a menti.

Quand j'étais petit, tu me demandais d'imiter les
vainqueurs, ceux qui ont condamné mon père. Pour
que je n'aie pas le dos voûté, tu me disais : « Tiens-
toi droit comme le général Moscardó » (le héros
franquiste de l'Alcazar de Tolède).

Dans les années 1941, 42 et 43, la plupart des prisonniers ont été graciés. Ils ont refait leur vie peu à
peu. J'aurais pu avoir un père, après sa libération
conditionnelle en novembre 1941. Une autre vie
dans ma vie.

« Pourquoi – dis-tu – fouiller le passé, pourquoi
chercher ton père, pourquoi te soucier de ce qui a
pu lui arriver ? Tu ne le fais – affirmes-tu – que pour
me blesser, pour me faire mourir de contrariété,

moi, pauvre veuve... » Mais pourquoi n'aurais-je pas le droit de connaître sa flamme inoubliable ?

Voici sept semaines tu m'as écrit : « J'ai toujours entendu ton père dire qu'il attendait avec impatience la venue de la monarchie... C'était un homme d'ordre... il a toujours lu des journaux madrilènes antidémocratiques et le *Télégramme du Rif* de la même idéologie. »

Pourquoi ne me l'as-tu pas dit pendant mon enfance et mon adolescence ? Tu me répétais alors que « c'était un extrémiste ». A présent tu as changé de version parce que tu imagines que mes idées pourraient être semblables à celles qui l'ont mené en prison.

Tu rends vierges les erreurs d'hier.

Selon ta nouvelle version, ce n'est plus un fanatique de la politique « quoi qu'il en côute et quelle qu'en soit la victime », mais « comme il a été arrêté deux heures après le début du mouvement, il n'a pas eu matériellement le temps de faire quoi que ce soit contre lui ». Pourquoi l'homme « d'ordre » que tu décris aujourd'hui aurait-il fait « quelque chose contre le *mouvement national* franquiste » ?

Tu ne réponds que par le silence quand je demande des lettres, des faits, des noms, des dates. Dans ta dernière lettre, éloquente comme la suie, tu te protèges : « Moi qui n'ai pas l'habitude d'étudier ni de résoudre les problèmes de la maison... à cause de tout cela sans doute je n'ai pas une bonne mémoire des noms et je ne suis pas capable de m'en souvenir. » Tu ne me donnes pas une seule information, pas une seule date, pas un seul nom. Ce n'est pas que ta mémoire soit défaillante... pour tout ce qui concerne papa, on dirait que tu es amnésique. Et, cependant, tu es une femme heureusement pleine de santé, éveillée et jouissant d'excellentes facultés mentales. Svelte et jeune, tu te perds dans le brouillard. Avec les maigres renseignements que tu me fournis, parmi des troncs obscurs, fais-tu ton possible pour m'embrouiller ? Tu affirmes, par exemple, sans aucune raison : « Il avait sept frères. »

Tu parles de l'un d'eux en ces termes : « Le frère de ton père, l'oncle Rafael, est mort au début de la guerre. » Il est mort... C'est vrai, il a été fusillé par les putschistes de Majorque. Tu aurais voulu que j'ignore ce « détail » ?

Tu affirmes : « Le seul membre de sa famille avec qui il a pu communiquer en prison c'est son frère Angel. » Pourtant, l'oncle Angel m'a écrit peu avant sa mort : « J'ai passé toute la guerre au front, au service du gouvernement légal de Madrid, c'est pourquoi je n'ai pas pu lui écrire au pénitencier de Burgos qui se trouvait dans la zone " nationale ".

« Une fois la guerre finie, comme j'étais à Barcelone et condamné à mort, pour des raisons de censure nous n'avons pas pu nous écrire une seule fois. »

L'oncle Angel m'a écrit que ce fut pour lui « un cas de conscience » de décider si, après ton « épouvantable conduite » envers son frère, il pouvait t'adresser la parole. Il n'a consenti à s'entretenir avec toi, m'a-t-il dit, que parce que c'était le seul moyen de se mettre en rapport avec moi.

Tu n'as jamais douté que papa ait mérité les deux sentences qui l'ont condamné : la première, le 12 août 1936 condamnation à mort, et la seconde, le 7 mai 1937, à la prison à perpétuité. Mais ce qui te surprend c'est « comme le Tribunal l'a bien traité », « à quel point son défenseur s'est bien comporté », et « que la sentence ne disait rien en sa défaveur ».

Tu prétends que c'était un ivrogne... Et qu'il se saoulait de telle manière que « tout Melilla » était au courant. Tout Melilla... sauf les gens du pays que j'ai rencontrés.

« Je n'ai jamais su les noms des directeurs des prisons où il a séjourné. » Et pourtant, tu as entretenu une correspondance avec tous. Bien que tu assures : « Jamais je ne me suis adressée à eux. »

J'ai lu quelques-unes de tes missives telles des statues de fange et de sang, dans les archives de la prison de Burgos. Tu répètes souvent la formule : « Ton père, Dieu ait son âme. » Ton désir se dresse, plus fort que la preuve.

« Il était tendre avec moi, moins avec toi, sans aucun doute. » Quel autre témoin de mon enfance africaine pourra affirmer le contraire ? Pourtant, je n'ai pas oublié les photos qu'il a faites de moi à Melilla. N'ai-je pas été la personne qu'il a le plus photographiée ?

Je n'oublie pas non plus les cadeaux qu'il m'a envoyés de sa prison, et que tu camouflais. Par exemple, cette locomotive qu'il a fabriquée au pénitencier et que toi tu m'as offerte en disant l'avoir « achetée à Salamanque »... jusqu'à ce qu'un jour la couche de peinture noire que tu avais passée par-dessus, rongée par le soleil, ait laissé apparaître une inscription : « Souviens-toi de papa. » Il essayait de se mettre en rapport avec moi, malgré tout.

Depuis le 17 juillet 1936, pourquoi ne m'as-tu donné aucune de ses nombreuses lettres et cartes postales ?

Tu m'as répété qu'en prison tout le monde a dit qu'il ne jouissait plus de ses facultés mentales, « j'ai pu le constater la dernière fois que je lui ai rendu visite, et les médecins ainsi que tout le personnel qui l'entourait l'ont certifié ». Le psychiatre qui le soignait et le seul gardien qui reste de l'époque où il se trouvait à Burgos démentent cette affirmation. Il souffrait d'une « psychose de prison qui disparaî-trait le jour de sa libération ». On porte la douleur comme un sombre nuage qui, parfois, laisse s'échapper le tonnerre.

Tu proposes une version surprenante de son sui-cide dans la « terrible » prison de Ceuta : « Il est dû à un banquet copieusement arrosé... »...du péniten-cier del Hacho ! Comme d'habitude dans ces cas-là, tu donnes une seconde version (laquelle faut-il choisir ?) : « Un désaccord avec un camarade. »

As-tu tenté de faire mourir papa sans qu'il puisse renaître en effigie ? Je n'ai pas eu le droit de voir ses photographies. Ton zèle s'est exercé à un point tel que tu en venais même à découper sa silhouette sur les photos de groupes. Ces photos qui, lorsque j'étais petit, me semblaient si mystérieuses, sur les-quelles par exemple, dans un café, tu apparaissais assise et moi dans tes bras... et, à côté de nous, les contours découpés d'un absent. Son image perdue... à coups de ciseaux !

Avec quelle émotion j'ai contemplé (une seule fois dans toute ma vie) les dessins, aquarelles et portraits à l'huile qu'il a faits à Melilla, en prison, l'album de photos, ses cartes, ses écrits... tous ces documents secrets que j'ai découverts en cachette... dans le cagibi, en risquant une raclée que tu m'administrais avec ce fameux « mètre » en bois aux arêtes de cuivre.

Normalement on ne raisonnait pas en ces temps d'éden perdu, pendant la guerre civile et l'immédiat après-guerre. Je n'affirme pas qu'une partie du pays soit devenue folle... et, pourtant, dans les argu-ments, dans les plaintes, il y avait souvent une ombre étrangère. Cette société à ce moment précis criait vengeance. Toi et moi nous vivions dans ce climat de haine, de fanatisme et de cruauté. On aurait dit que les circonstances te poussaient à accepter la violence de l'agresseur, sa victoire et son angoisse.

J'ai eu droit à tes excuses pour les mauvais traitements que tu m'as infligés dans les années cinquante.

Mais lorsque, tuberculeux, vomissant du sang et démoralisé, j'ai passé quelques jours chez toi, tu as recommencé à me maltraiter, comme les années précédentes.

Tu étais victime du climat d'agressivité où nous vivions. C'est pourquoi tu m'as appris à vivre à genoux et à louer ceux « qui commandent », c'est pourquoi tu as tenté d'étouffer en moi toute idée de révolte, c'est pourquoi tu m'as obligé à prier pour que gagnent la guerre civile ceux qui ont condamné mon père, c'est-à-dire, pour qu'il reste en prison.

Tu m'as formé intellectuellement pour que je devienne son ennemi idéologique, c'est pourquoi tu m'as engagé à embrasser la carrière militaire, c'est pourquoi tu m'as incité à être le complice des bourreaux de mon père. Pour assurer le triomphe des ténèbres sur l'amour.

Si aujourd'hui j'étais un militaire (ou, par exemple, un fonctionnaire du ministère de la Santé publique), je me défendrais en faisant l'impasse sur mon père ou en le reniant.

Tu assures que tu te sens fière de moi. Mais tu dois être fière de l'éclat lumineux de papa. Sa vie et son martyre dans les prisons, voilà notre (le tien et le mien) plus grand sujet de fierté. Il embellit notre réalité.

J'ai autant besoin de mon père, et des lettres qu'il m'a écrites, que l'arbre de la terre.

Pourquoi ne m'exposes-tu pas ton point de vue ? Toute cette montagne de fumier ne peut être dissimulée sous un petit mouchoir de soie.

Cette pourriture existe. Est-ce qu'elle t'empoisonne ?

Comme j'aimerais que tu répondes à mes questions, que, par exemple, tu m'écrives : « Il est faux, comme tu le dis, qu'il existe des lettres demandant que l'on enferme mon mari dans un asile d'aliénés une fois obtenue sa liberté conditionnelle, au contraire, ce qui est vrai c'est que j'ai commencé à préparer son retour à la maison et à lui chercher une occupation. » Comme j'aimerais pouvoir te répondre : « Pardonne-moi, je me suis trompé... je n'ai pas compris les raisons de ta conduite. »

Je ne conçois pas qu'on applique la loi du talion. Je ne tolérerais pas que quiconque te fasse souffrir.

Tu dois être heureuse, comme il m'importe et comme je le souhaite.

Je t'embrasse, avec une telle affection !

*

Lettre de ma mère :

Mon cher enfant,

J'avais pris la résolution de ne pas répondre à ta lettre, puisque dans ces lignes tu ne me demandes pas des renseignements sur la disparition de ton père – ce qui serait logique – mais que ses différents paragraphes semblent distiller du fiel et n'être destinés qu'à lancer contre moi des pointes acérées.

C'est ce qu'il m'a semblé tout d'abord et c'est pourquoi j'ai décidé de ne pas te répondre, parce que je ne saurais jamais être à la hauteur dans un combat de ce genre.

Puis j'ai réfléchi, et pensé : pourquoi en serait-il ainsi ? Sûrement, c'est là une mauvaise interprétation de ma part. Si je ne répondais pas, c'est

alors que mon fils pourrait croire que tout ce venin
– dont je ne crois pas qu'il vienne de ton cœur –
puisse être vrai.

Ma réponse n'est donc en accord, en rien ! avec ta
lettre. Je ne sais dire les choses qu'à ma façon,
comme me les dicte mon cœur.

Tu commences par laisser quasiment entendre
que je suis coupable de tout ce qui est arrivé à ton
père. Il y a encore des gens qui ont connu cette
époque.

Il y en a aussi qui peuvent se souvenir que je me
suis présentée avec toi à la femme du chef le plus
important du moment, à Melilla, pour demander
que ton père soit épargné.

J'y suis allée avec toi, je crois me souvenir que tu
gardais encore en mémoire à quoi ressemblait le
Marocain qui, dans les escaliers, surveillait la maison, et qui m'a dit, comme je sortais de là : « Ne
pleure pas, *petit* femme. »

Cela lui a valu – des personnes qui sont encore en
vie me l'ont dit – de ne pas être jugé en ces
moments-là, qui étaient les plus dangereux parce
que c'étaient les premiers.

La femme a demandé à son mari de ne pas
s'occuper de son cas, et lui s'est arrangé pour retar-
der le jugement.

A Melilla il a reçu toutes sortes de colis. Lorsque
nous sommes revenus d'Afrique, nous nous sommes
arrêtés à Ceuta, ce qui était beaucoup plus pénible
et plus coûteux, rien que pour le voir.

Après cela, que tu me dises que je ne lui envoyais
pas de colis me fait sourire, s'il n'y avait pas plutôt
lieu d'en pleurer. Si c'était un étranger à notre
famille qui le disait, je pourrais le comprendre, mais
toi tu sais que si nous allions au Retiro, il fallait le
faire à pied car nous n'avions pas d'argent pour les

transports. Que j'allais aussi à pied au bureau de la rue Serrano, comme tu dois t'en souvenir, car il me manquait les quatre sous nécessaires pour prendre le métro ; et que, lorsque c'était ton anniversaire, je ne pouvais pas t'acheter un bonbon.

Ce n'est pas que nous ayons vécu modestement, nous étions en pleine misère. Tu dois aussi te souvenir que pour fêter l'anniversaire de grand-père on mangeait un œuf sur le plat comme quelque chose d'extraordinaire.

Ton père avait besoin de colis, j'en suis persuadée, pour améliorer l'ordinaire de la prison et comme une satisfaction sentimentale ; mais il ne les acceptait pas, connaissant notre situation, sachant que nous, non par caprice, mais par nécessité, devions manger au moins un morceau de pain tous les jours. Non pas un morceau pour accompagner le repas, mais comme nourriture de base, tant nous n'avions rien à manger.

Cette lettre que m'a envoyée le directeur de la prison et que tu proclames avec tant d'éclats montrait tout simplement que, même si je n'étais pas officiellement incarcérée, c'était comme si je l'avais été tout le temps.

D'abord à Ciudad Rodrigo, où je ne suis pas sortie une seule fois, tant j'avais honte. Tu le sais bien.

Puis à Burgos, assez longtemps après la tentative de suicide de ton père et quand il allait mieux, c'était moi la prisonnière. On m'avait arrachée à ma vie et à mon fils, on m'avait imposé un bureau que je détestais et, pour achever de faire de ma vie un véritable calvaire, je mangeais du rata tous les jours, du rata froid, du vrai rata de caserne, le rata que l'on donnait à ceux qui avaient leur famille en zone rouge et qu'on m'a laissé prendre. Avec ce que j'économisais ainsi, je pouvais t'envoyer quelques pesetas à Ciudad Rodrigo pour ton entretien. Les récépissés qui confirment ce que je dis sont à la banque.

Après le travail quotidien et le repas que j'ai dit, je n'avais plus qu'à me rendre dans une chambre sombre, froide, vieille, sale et repoussante. Quoi d'étonnant si alors j'écrivais, cédant sous le poids des circonstances? Est-ce que je ne pouvais pas même exprimer mon angoisse à mon propre mari? J'aurais pu ne pas le faire, mais j'avais trente ans, la vie m'était extraordinairement pesante et il était logique et naturel que je dise un peu ce que j'avais sur le cœur puisque je ne pouvais parler de ça à personne.

Tu sais bien comme ma vie, alors, était triste. Pourquoi parler de la captivité que je subissais à tout moment?

Quant à mon salaire, tu peux toujours le vérifier dans les budgets de l'Etat.

Ensuite tu dis – je le répète, on ne dirait jamais que c'est toi qui as écrit ces choses, tu as partagé notre vie – que j'aurais dû lui préparer un logement en vue de sa sortie. Même si l'on t'a dit ce qu'on aura bien voulu te raconter, ton père n'était pas normal. Que son état ait pu s'améliorer à sa sortie, c'est possible, mais ce qui est vrai, c'est qu'il n'était pas bien.

La première mesure à prendre à sa sortie de prison, c'était de chercher pour nous un petit logement indépendant. Tu sais très bien qu'en fait de logement je n'en ai eu un qu'en 1948. Il fallait que je me mette en quête d'un grand appartement, tâcher de trouver un travail à la maison pour pouvoir faire face aux frais inévitables puisque j'aurais dû quitter le bureau pour m'occuper de toi et de lui. L'état normal de ton père – jusqu'au moment de voir comment il réagirait une fois libre – ne permettait pas que je le laisse sous la surveillance du gamin que tu étais.

Il fallait me laisser un peu de temps pour tout cela, et le mieux, à mon avis, c'était un asile psychiatrique en attendant que je puisse résoudre toute cette affaire. Mais un asile qui ne coûterait rien, parce que, pourquoi te le redire, si tu le sais très bien, je n'avais pas un centime.

De toutes ces réflexions intimes je ne pouvais faire part à personne parce que j'aurais eu l'air d'accuser mes parents et, à dire vrai, ils étaient déjà bien vieux pour ces choses-là.

De sorte que sans fournir d'explications à des étrangers – et encore une fois, sans que tu le saches parce que je ne souhaitais qu'une chose, ne pas te rendre la vie pénible –, mais, comme c'était logique, en mettant au courant tes grands-parents, j'ai songé à ouvrir une pension. Et même j'avais entrevu la possibilité de ne plus aller au bureau. Comme tu le sais, je n'ai eu le temps de rien faire.

Tu dis aussi que j'ai cherché des recommandations auprès des militaires pour le retrouver. Comme tu te trompes! pour ne pas dire comme tu mens, parce que je crois vraiment que tu n'as pas l'intention de mentir. C'est là une question qu'ignorent encore toutes les personnes de mon entourage. Je l'ai dit à la police, en effet. Ne devais-je pas le faire? Si je ne l'avais pas fait, alors tu pourrais me critiquer.

Si je me suis efforcée de ne pas te dire la vérité, tu dois tenir compte du fait que tu avais neuf ans quand ton père a disparu. Tu n'avais pas alors affaire aux autorités – comme tu dis – mais à tes camarades d'école. J'ai agi ainsi pour ne pas te compliquer la vie et parce que je voulais, comme toujours, que ton enfance se passe normalement ; pour te dire les choses telles qu'elles étaient lorsque tu aurais assez de bon sens.

Je n'ai pas bien fait ? C'est possible, mais mon intention était de rendre agréable ton enfance – ou, du moins, de t'épargner le plus possible les épines.

Tu parles de raclées. Un autre sarcasme. Celles – plutôt rares – que tu as reçues, ce fut lorsque, en grandissant, tu as pris l'habitude de forcer les portes secrètes, et par crainte que tu ne prennes l'habitude de choses qui ne pouvaient que mal finir pour toi.

Là aussi j'ai mal fait ? Ce qu'il ne faut pas entendre ! Il faut croire que c'était mon devoir de te laisser devenir un petit voyou.

Quand tu as été au courant de tout, il n'y avait plus rien à faire, du moins, c'est ce que j'ai cru et ce doit être vrai puisque toi non plus tu n'as pas trouvé une issue très claire.

Ton père, lorsqu'il était en prison, souhaitait le retour de la monarchie, car on disait que s'il en était ainsi, tout le monde sortirait de prison. Après on aurait vu ce que chacun aurait fait.

Qu'il ait eu sept frères et sœurs, c'est là la version que je t'ai toujours donnée parce que c'était la vérité. Quatre sont morts en bas âge. Tout est affaire de point de vue, d'interprétation et de façon de s'exprimer.

Y avait-il un mystère dans le fait d'avoir eu sept frères et sœurs ?

Ce qui est vrai, c'est que dans ta lettre il y a bien des choses que je ne comprends pas : tu tournes et retournes les choses de telle manière qu'elles disent le contraire de la réalité. Assurément, ce n'est pas pour rien que tu as gagné le prix des surdoués.

Que ton oncle Angel t'ait dit ce que tu me dis qu'il a dit, ce doit être vrai, mais il est venu à la maison nous voir et il ne m'a jamais rien dit de tel. Mais il est logique aussi qu'après t'avoir écouté il ait changé sa manière de penser.

J'ai dit et je répète que le défenseur de ton père au cours du procès s'est très bien conduit. Dire autre chose ce serait mentir. Il s'est donné du mal pour lui plus que pour n'importe lequel de ceux qu'il défendait, et même si cet homme est mort il est juste de le dire et de lui être reconnaissant de tout ce qu'il a fait pour aider ton père.

Il nous a obtenu des billets pour aller à Ciudad Rodrigo, il nous a recommandés aux gens de Ceuta afin qu'on puisse voir ton père, il a fait tout ce qui était humainement possible à ce moment-là.

Si les personnes à qui tu as parlé à Melilla ne savaient pas qu'il se saoulait, c'est sans doute parce qu'elles n'avaient pas l'âge de ton père, ou parce qu'elles n'ont pas voulu te le dire, ou parce qu'elles ne fréquentaient pas les mêmes endroits que lui. Habituellement il ne buvait pas beaucoup, mais c'était quelqu'un qui ne supportait pas l'alcool, à qui il suffisait d'un verre de vin pour être saoul.

On peut écrire aux gens sans savoir leur nom, si on connaît leur fonction, n'est-ce pas ?

Comme en toute chose, tu interprètes de travers le fait qu'il ait pris tant de photos de toi. De cette époque je possède à moi toute seule des milliers de clichés. Tu ne t'en souviens peut-être pas et c'est normal ! Si, par la suite, on en a moins fait, c'est parce que les besoins domestiques ne nous permettaient pas le luxe de prendre des photos. Tout dépend de la manière dont on voit les choses. Vois-tu comme tu te trompes dans tes interprétations ?

Sa tentative de suicide est survenue à la suite du jugement de l'un de ses compagnons ; comme sa condamnation était moins lourde qu'ils ne s'y attendaient, ils ont fêté ça. Ce qui ne veut pas dire qu'ils aient fait un repas princier, mais tu sais bien qu'on voit tous les jours dans la rue des gens ivres et d'après leurs habits on voit que le *banquet* qui en est la cause n'a été arrosé que par du gros rouge. Et pourquoi pas ? L'attitude agressive d'un de ses camarades a aggravé son état, et je connais même le nom de cet homme parce que ton père me l'a dit.

Si au début de la guerre je n'avais pas eu d'enfant – je suppose que tu as dû me l'entendre dire bien des fois –, je serais allée faire la bonne en France en fuyant loin de tout cela, car tu sais bien comme je souffre de dépendre des autres. Je ne l'ai pas fait parce que j'aurais dû te laisser dans un orphelinat et j'ai cru que mon devoir était de supporter tout ce qui s'est abattu sur moi pourvu que tu aies un logis et non une de ces écoles gratuites si tristes et si lugubres.

J'ai mal fait, là aussi ? C'est possible, parce que mon défaut a toujours été de me soucier plus de toi que de moi.

Comme tu n'as pas d'enfant – et même si tu en avais un : l'amour d'une mère est bien différent de celui d'un père –, tu ne peux pas te mettre à ma place.

Tu m'accuses d'avoir étouffé en toi toute idée de révolte. Cette phrase, il faut la sentir et la mettre en pratique soi-même, mais on ne peut jamais obliger un enfant, qui, à cause de son âge, ne peut pas encore dire quelles sont ses préférences, à suivre un chemin aussi périlleux. Pour toi j'ai tout supporté pour que tu puisses manger.

Ce sont des moments difficiles pour moi que tu veux juger et il y a de la légèreté de ta part à ne pas vouloir réfléchir posément à tout ce qui nous entourait et que tu as vécu, même si tu étais très petit.

J'ai toujours tout fait pour que tu ne saches de tous les désagréments que ce qui était nécessaire. Les nombreuses fois que j'allais demander du travail et qu'on ne m'en donnait pas, quand je demandais des bourses ou des allocations d'études pour toi et qu'on ne me les accordait pas non plus ; lorsque j'ai sollicité un bureau de tabac ou de loterie sans aucun succès, etc, tant de choses que j'ai tentées et qu'on m'a refusées, de tout cela, étais-tu au courant ?

Que de larmes versées à cause de ce qui aurait pu être notre bien-être et qui s'évanouissait, et que de joie grâce aux miettes qui nous parvenaient et qui étaient tout ce que toi tu savais.

Après tout cela, je pense ne plus t'écrire. Il y a une grande distance entre toi et moi. J'en suis très satisfaite. Cela a toujours été mon rêve et je suis heureuse d'y avoir réussi pour toi. Tu as toi, de toutes manières, une situation bien au-dessus de la mienne. C'est pourquoi je ne souffre pas que ce soit là une chose qui nous sépare, au contraire, comme je l'ai dit : j'en suis satisfaite.

Rêver d'attendre quelque chose de la vie pour moi, tel n'est pas le cas, j'ai entièrement changé, même en cela. Je me moque de tout. Je remplis mes obligations comme une automate. J'attends seulement le moment où je pourrai demander un poste où je serais plus en contact avec la nature.

Si un jour tu as un enfant, tu me comprendras peut-être. Je te souhaite de tout cœur d'être très heureux dans la vie. Quand tu apprendras que je suis morte, prie pour mon âme.

Et voilà tout, mon enfant, reçois toute mon affection.

PS : J'ai écrit cette lettre pour toi seul parce que j'ai supposé que c'est toi seul qui m'as écrit la précédente.

*

Lettre à ma mère :

Chère maman,

Je t'ai écrit et je t'écris aujourd'hui avec amour, au temps de l'espoir. Combien je regrette que tu ne répondes pas à mes questions. Quant à moi, je vais essayer de satisfaire aux tiennes et sans ambages.

Je frémis à ces mots brûlants : « On dirait que tes paragraphes distillent du fiel. » Me suis-je si mal expliqué ? Souvent tu juges avec grandiloquence (tu ne crois pas ?) mes « vertus et mes défauts » : « Tout ton talent de surdoué tu l'emploies à faire le mal. »

Tu affirmes impétueusement que « je lance des traits acérés ». Laisse donc tomber tout cela, je ne souhaite que t'aimer... plus que jamais ! « Je ne saurais jamais être à la hauteur dans un combat de ce genre » Je ne veux ni « combat », ni « traits », ni « fiel », ni « venin ». Je t'écris avec tendresse, en craignant encore de rêver pour rien.

J'ignorais que tu avais sollicité une recommandation en faveur de papa pendant sa détention « ... au chef le plus important du moment à Melilla ». Quel est le nom de l'homme qui a fait cette recommandation... ou, plutôt, de la femme ? Tu nommes celle-ci « la femme du chef » (le chef de quoi ?) et plus loin tu écris « ... la femme a demandé à son mari ». Pourquoi ne me donnes-tu pas le nom, ou la fonction de cet officier ? Comme ce serait une aide précieuse si je connaissais ces noms pour briser le mur de l'énigme !

Je ne veux pas supposer que, sous l'asphalte de la rancune, tu caches ce que tu ne veux pas que je sache. Et que je pourrais découvrir en rendant visite à ce couple de personnages masqués.

« Cela lui a valu de ne pas être jugé en ces moments-là, qui étaient les plus dangereux parce que c'étaient les premiers. » Papa, arrêté le 17 juillet, a été condamné à mort le 12 août : vingt-deux jours plus tard.

Tu écris aussi enveloppée dans ton propre brouillard : « Il y a encore des gens qui ont connu cette époque. » Qui ? Je suis prêt à leur rendre visite à tous. Cela lui a été utile, « des personnes qui sont encore en vie me l'ont dit ». Qui ? Tout témoignage serait si précieux pour ranimer le destin glacé de papa. Tu connais le nom de son camarade au pénitencier del Hacho..., mais, par indolence, tu oublies de m'en faire part.

Tu t'éloignes en laissant en suspens la frustration : « On peut écrire aux gens sans savoir leur nom, si on connaît bien leur fonction. »

Mais quand me donnes-tu leur fonction ? Crains-tu que, en la précisant, je trouve l'individu en question ?

Tu me rappelles des faits que je ne mets pas en doute : comme nous vivions mal et misérablement à Madrid, que nous allions à pied au Retiro par manque d'argent pour prendre le métro. C'était le triste sort de la plupart des Espagnols dans les années quarante, obstinés dans leurs désirs.

Mais si en 1941 tu n'avais pas préféré envoyer papa dans un asile, il serait revenu à la maison comme les centaines de milliers de prisonniers graciés. A ce moment nous aurions profité d'un salaire de plus, peut-être, étant donné que ses études étaient supérieures aux tiennes. En ne permettant pas son retour, tu m'as empêché de bénéficier de sa présence.

Pourrait-on même en venir à supposer que (sans que tu en sois consciente) tu aies été responsable de ma tuberculose, en interdisant son retour au foyer, à la maison ?

Tu parles des humiliations que tu as dû subir à cause de moi. Mais il y en a une que tu n'as pas tolérée, sous le couvert de l'aigreur : le retour de papa en 1941.

A Melilla tu affirmes que tu « lui envoyais toutes sortes de colis ». C'est-à-dire, pendant quatre-vingt-dix-huit jours. Le 2 octobre 1936, on l'a transféré à Ceuta et puis toi et moi nous nous sommes réfugiés à Ciudad Rodrigo. Comme tu le reconnais explicitement, une fois partie de Melilla tu ne lui as plus jamais envoyé de colis. Pendant plus de six ans de solitude, sans amour.

Pour pouvoir manger en prison, papa a dû solliciter la qualité d' « indigent notoire ». Voici le dossier kafkaïen de ses démarches :

Fernando Arrabal Ruiz, ex-lieutenant d'Infanterie, a besoin d'un
            certificat d'indigent *
afin de pouvoir solliciter le secours de trois pesetas par jour pour sa nourriture que lui accorde la O.C. du 19 novembre 1935 (D.O. n° 270).

            Ceuta (Forteresse del Hacho),
                1er juillet 1937.

                  *

Afin que l'attestation d'état d'indigence sollicitée puisse être accordée,

* « Pobre de solemnidad ».

je vous envoie ci-joint la requête de l'ex-lieutenant d'Infanterie don Fernando Arrabal Ruiz, incarcéré à la Forteresse del Hacho en espérant que vous m'en accuserez réception.

Dieu vous garde longtemps en vie.

Ceuta, 9 juillet 1937.
An II de la marche vers la Victoire.

*

Dossier : attestation d'état d'*indigence* de
l'ex-Lieutenant d'Infanterie don Fernando Arrabal Ruiz

Première démarche le 20 juillet 1937 :

Déclaration de l'ex-lieutenant d'Infanterie Fernando Arrabal Ruiz

Invité à déclarer s'il perçoit quelque solde que ce soit de l'Etat, la Province ou la Municipalité, il a répondu : qu'il ne perçoit absolument rien, ni de l'Etat, ni de la Province, ni de la Municipalité.

A propos de biens de fortune, d'immeubles ou de droits en sa possession, il a répondu qu'il ne possède aucune sorte de biens, ni immeubles, ni droits.

Interrogé... sur sa qualité d'indigent, il a répondu : qu'il se considère comme indigent.

Interrogé... sur ce qu'il peut ajouter à ces déclarations, il a répondu que rien, que ce qu'il a dit est la vérité qu'il confirme et ratifie en signant sa déclaration, après lecture par

Sebastián S. et moi-même le greffier, ce que j'atteste.

*

Déclaration du lieutenant du Génie don Gaspar H.

Ceuta, vingt juillet mil neuf cent trente-sept, devant monsieur le Juge et en présence du greffier comparaît la personne indiquée en marge.

Interrogé... au sujet de l'ex-lieutenant d'Infanterie Fernando Arrabal Ruiz afin de savoir s'il a connaissance que celui-ci perçoit une solde ou une pension quelconque de l'Etat, de la Province ou de la Municipalité, et également si ledit Arrabal Ruiz possède des biens immeubles ou d'autres sources de richesses quelconques, il a déclaré savoir qu'il ne perçoit aucune solde, ne possède aucun bien immeuble et qu'il le considère totalement indigent.

Interrogé... à propos d'autres éventuelles déclarations, il a répondu qu'il n'a rien à ajouter, que ce qu'il a dit est la vérité qu'il confirme et ratifie après lecture de sa déclaration, il persiste et signe en présence de Sebastián S. et du greffier. Ce que j'atteste.

*

Don Maximo G. S. lieutenant d'Intendance et le sous-lieutenant d'Infanterie

don Joaquin G. M. ont fait deux déclarations semblables.

*

Don José Maria P. S., Contrôleur de
l'Enregistrement de la Propriété Provisoire de Cordoue.
Je certifie avoir examiné les livres
des Archives dont je suis chargé. Il en
ressort que don Fernando Arrabal Ruiz ne
possède pas de biens immeubles inscrits
en son nom.

Cordoue, le vingt-neuf juillet mil
            neuf cent trente-sept.
An II de la marche vers la Victoire.
Sans honoraires.

*

Des certificats semblables ont été
établis par don Filiberto L., Secrétaire
de l'Excellentissime Députation Provin-
ciale de Cordoue et par don José C. S.,
Avocat et Secrétaire de l'Excellentissime Maire de Cordoue.

A Cordoue, huit septembre mil neuf cent
            trente-sept.
An II de la marche vers la Victoire.

*

Nouvelle déclaration de Fernando
Arrabal Ruiz.
A Ceuta, vingt-trois septembre mil neuf
cent trente-sept. Devant Sebastián S. et

en présence du Secrétaire comparaît l'homme indiqué en marge, qui a juré de dire la vérité.

Interrogé, il décline les noms et prénoms de son épouse, indique où il habite, de quoi il vit, l'état civil de son fils et qu'il ne possède aucun bien.

Interrogé afin de savoir s'il a quelque chose à ajouter, il a déclaré que non et signé cette déclaration ainsi que Sebastián S. et le greffier.

Ce que j'atteste.

*

Registre de la Propriété de Ciudad Rodrigo.

En réponse à votre rapport n° 6309, daté du 23 du mois de février, j'ai l'honneur de vous faire savoir que dans les livres de ce Registre, de la municipalité de Ciudad Rodrigo, je n'ai trouvé aucun bien inscrit au nom de l'ex-lieutenant d'Infanterie Fernando Arrabal Ruiz.

Que Dieu sauve l'Espagne et vous garde longtemps en vie.

Ciudad Rodrigo, 2 octobre 1937
An II de la marche vers la Victoire.

*

Don Antonio J. M., Commandant d'Infanterie, juge éventuel, a l'honneur d'exposer que :

Ces démarches sont entreprises en vertu de l'ordre supérieur (folio 1), suite à la demande de l'ex-lieutenant d'Infanterie don Fernando Arrabal Ruiz (folio 2) qui sollicitait pouvoir donner la preuve de sa qualité d'*indigent*.

Cela est ratifié dans la requête au folio 4 et trois témoins prêtent serment aux folios 5,6,7.

Aux folios 11,13,16,17,18 et 23 sont joints des documents attestant que le solliciteur ne possède aucun bien et ne perçoit aucune solde ni pension.

En vue de ce qui est ci-dessus exposé, et le Juge soussigné estimant ce dossier complet, il a l'honneur de le remettre à Votre Excellence qui prendra la décision qui lui semblera opportune.

Ceuta, vingt-huit janvier mil neuf cent trente-huit.
An II de la marche vers la Victoire.

*

Le présent dossier est constitué à la requête de l'ex-lieutenant d'Infanterie don Fernando Arrabal Ruiz, incarcéré dans la forteresse del Hacho, afin que son manque de moyens de subsistance soit établi.

Les démarches nécessaires ont été entreprises et peuvent être jugées complètes.

Ceuta, 6 février 1938.
An II de la marche vers la Victoire.

*

11 février 1938.
An II de la marche vers la Victoire.

Ce dossier doit être adressé au Juge instructeur, le commandant d'Infanterie don Antonio J. M. qui m'en accusera réception.

Le Général en Chef.

Après cet échange de documents administratifs le dossier se termine abruptement par le document suivant :

Excellence : en exécution de votre aimable demande d'information n° 2126 datée du 15 de ce mois, relative au condamné l'ex-lieutenant d'Infanterie don Fernando Arrabal Ruiz, cause n° 359, de 1936.
J'ai l'honneur de vous informer que le susdit a été arrêté le 17 juillet 1936 et conduit au fort María Cristina (le Polygone) à Melilla,
jugé le 12 août de la même année et condamné à mort.
La procédure a été approuvée par les Autorités Judiciaires de ce Territoire le 22 août de la même année.
Le 28 octobre 1936 le condamné a été transféré à la Prison Militaire del Hacho à Ceuta, où il s'est trouvé dans la même situation jusqu'à ce qu'il soit condamné à la réclusion à perpétuité. La sentence ayant été définitivement établie le 14 mai 1937.

Les raisons ayant motivé la procédure sont les suivantes :

Le 17 juillet 1936 vers dix heures du soir, le susdit lieutenant don Fernando Arrabal Ruiz a déclaré au capitaine N. de son bataillon qu'il désirait être arrêté parce qu'il ne concevait pas d'autre Régime que celui de Casares Quiroga [« légalement constitué et élu démocratiquement »]. Ce même lieutenant Arrabal Ruiz avoue estimer qu'il ne devait pas coopérer avec un Mouvement opposé au Gouvernement légalement constitué, et qu'il désirait se joindre à ceux qui soutenaient le Gouvernement.

Avant le 17 juillet 1936 mentionné, le susdit lieutenant Arrabal Ruiz fréquentait le bar « Le Rocher », lieu de réunion des éléments extrémistes de la ville, où l'on conspirait en ce sens, et où il a fréquenté des éléments du genre précité. Et cela au point que, en apprenant le 17 susmentionné que les forces de la Légion faisaient route vers Melilla, il s'est exclamé que si elles ne devançaient pas les jeunesses révolutionnaires, celles-ci étaient très bien préparées et qu'elles ne perdraient pas la partie, ne se gênant pas en présence de ses camarades pour proclamer son admiration envers lesdites Milices.

Ceuta, 19 juin 1939. Année de la Victoire.

Le Lieutenant Colonel Juge Instructeur –
Constantino J.

Tout effort «pénible» et toute «défense» aurait été bienvenus pour aider un homme claquemuré dans un pénitencier tel que celui del Peñón del Hacho. Un prisonnier qui, tremblant dans l'obscurité, doit avoir recours, pour manger, à une aide pour «indigent notoire».

«Lorsque nous sommes revenus d'Afrique, nous nous sommes arrêtés à Ceuta, ce qui était beaucoup plus pénible et plus coûteux, rien que pour le voir», dis-tu.

A ce moment on ne pouvait se rendre dans la Péninsule depuis Melilla qu'en passant par Ceuta. De Melilla on ne pouvait aller à Malaga comme on le fait aujourd'hui normalement en bateau ou par avion. Malaga n'a pas été occupée par les «nationalistes» avant le 7 février 1937 : par neuf bataillons de la Légion italienne et trois bataillons du duc de Séville.

«Après cela [que papa eut quitté la prison de Melilla pour le Peñón del Hacho en octobre 1936], que tu me dises que je ne lui envoyais pas de colis me fait sourire, s'il n'y avait pas plutôt lieu d'en pleurer. Si c'était un étranger à notre famille qui le disait, je pourrais le comprendre, mais toi tu sais que si nous allions au Retiro, il fallait le faire à pied car nous n'avions pas d'argent pour les transports...»

Papa a été enfermé jusqu'à son évasion en décembre 1941. J'ai vécu à Ciudad Rodrigo pendant des années, indolemment couché sur un divan, sans privation de nourriture. Tu ne m'as pas inscrit à l'école gratuite mais dans une école libre où il fallait payer. Je jouissais de tout ce que pouvaient avoir les enfants «aisés» de Ciudad Rodrigo. Chaque fois que tu revenais de Burgos, tu m'apportais à Ciudad Rodrigo, comme autant de bouffées d'amour, des jouets et des friandises. La misère nous a saisis pendant l'automne 1941, quand déjà nous habitions Madrid.

Le plus dur à comprendre, même pour quelqu'un qui t'aime tant, comme moi, c'est que tu l'aies insulté avec une telle violence.

Au lieu de lui envoyer un modeste gage de notre affection, tu « le tourmentes avec acharnement » (comme ose le dire le directeur de la prison de Burgos). Tu n'as pas été assaillie par la lumière. Pourquoi ne m'as-tu pas permis de lui écrire, moi, son fils ? Pourquoi as-tu éliminé chacune des nombreuses lettres et cartes qu'il m'envoyait ?

Que t'est-il passé par la tête, à toi, toi qui es parée de gloire ?

Un conseil de guerre composé de généraux lui a ôté sa liberté. Mais ils ne l'ont pas condamné à n'avoir aucun rapport avec son fils.

Combien de lettres il m'a envoyées ! Que d'albums de photos ! Que de dessins ! Que de cadeaux ! Rien n'est parvenu entre mes mains, ni même à ma connaissance. Le plus lourd châtiment qu'il a subi, ce fut probablement de ne pouvoir s'adresser à moi.

« Quoi d'étonnant si alors j'écrivais, cédant sous le poids des circonstances ? Est-ce que je ne pouvais pas même exprimer mon angoisse à mon propre mari ? »

Une revue étrangère vient de publier quelques-unes des lettres envoyées à leurs maris par les femmes des prisonniers de Burgos, baignées par le tendre parfum de l'espérance : « Nous sommes dans la misère, tes enfants et moi-même... nous n'avons la force de vivre qu'en pensant à l'heureux jour de ta libération. »

Papa, ancré dans le sillon de la tragédie, n'attendait que ta tendresse. Ce que tu appelles « dire un peu ce que j'avais sur le cœur » (ce qui a si fort scandalisé le directeur du pénitencier de Burgos), ne serait-ce pas ce qui l'a le plus tourmenté en prison ?

Tu me parles, avec une pureté soudaine, si amère ! de ton salaire et des récépissés de la banque. Depuis 1941 tu as reçu ma bourse mensuelle de *surdoué*. Un peu plus tard tu as réussi à toucher une autre aide : celle que je recevais comme orphelin de militaire... moi qui étais le fils d'un officier, de son vivant, hostile au régime, condamné et dégradé ! Quel merveilleux exploit... que le tien ! Avec quel art tu as toréé les vainqueurs, cette fois ! Comme je me réjouis d'apprendre enfin (aujourd'hui... à l'époque, je n'en savais rien) que ces subsides ont pu t'aider et nous secourir pendant ces années d'après-guerre.

Puis tu dis – je répète « qu'on ne dirait jamais que c'est toi qu'as écrit ces choses, tu as partagé notre vie – que j'aurais dû lui préparer un logement pour le moment où il sortirait ».

Sans la plus petite trace d'affliction tu continues à trouver normal qu'une épouse ne cherche pas un toit pour son mari récemment sorti de prison.

A la commission pénitentiaire tu apportes des preuves... fausses à mon avis, afin qu'il soit envoyé dans un asile. Je me trompe ? Je voudrais bien. Tu certifies, par exemple, pour briser l'harmonie enfuie des premières années, qu'il a souvent voulu, à Melilla, se jeter par la fenêtre.

« Ton père n'était pas normal. Que son état ait pu s'améliorer à sa sortie, c'est possible, mais la vérité c'est qu'il n'était pas bien. »

En 1941 tu ne nourris aucun espoir de voir son état s'améliorer peut-être à sa sortie. Opiniâtrement tu obtiens que le psychiatre (« pour me délivrer de votre mère qui me harcelait ») le qualifie de schizo-phrène... bien qu'il n'ait eu aucun symptôme de cette maladie et qu'il soit peu courant que la schizo-phrénie se déclare si tard dans la vie d'un malade.

On l'a enfermé dans une institution plus effroyable que la prison : un asile de province.

Mais sa raison ne s'enfuit pas en un vol dans ce réduit brumeux. Papa entre à l'hôpital provincial de Burgos le 17 novembre 1941 et le 29 décembre 1941 il s'est évadé ! Se jouant de la police, trompant la surveillance à laquelle il était soumis, ainsi que les forces que ses supérieurs de l'armée avaient lancées sur ses traces.

Sous une implacable étoile, sans papiers et avec un mètre de neige il a échappé à l'invincible armada de ses poursuivants.

Prouvant ainsi, par un tel exploit, qu'il raisonnait mieux que jamais. Invisible pour ceux qui le tra-quaient, l'homme seul, papa, a marché vers la liberté à travers un espace sourd.

La police a parcouru ses domaines, se livrant à de minutieuses recherches. Les registres des cadavres et les ombres indécises furent examinés. A cette époque un homme ne pouvait disparaître et moins encore son « cadavre en pyjama ». L'Espagne, oubliée dans sa tristesse, était contrôlée millimètre par millimètre.

Pour changer de province il fallait un « sauf-conduit ». Il est impensable d'imaginer, comme le suggèrent certains militants politiques, que le gou-vernement ait simulé sa fuite pour lui tirer une balle dans la nuque... Pourquoi aurait-elle attendu six ans pour le faire ?

« De toutes ces réflexions intimes, je ne pouvais faire part à personne parce que j'aurais eu l'air d'accuser mes parents. »

Pourquoi accuser grand-père et grand-mère ? Ce ne sont pas eux qui ont demandé de l'envoyer dans un asile. Ni eux qui ont refusé son retour à la maison. Ni eux qui ont lancé la police sur ses traces. Ni eux qui ont ouvert la tombe infinie pour le fugitif.

Malheureusement, quand je dis que tu as cherché des recommandations auprès des militaires pour le faire enfermer après son évasion, je ne me trompe pas. J'ai lu ta lettre, écrite de ta main, le sang s'est glacé dans mes veines.

« Je l'ai dit à la police. Ne devais-je pas le faire ? Si je ne l'avais pas fait, alors tu pourrais me critiquer. »

Je ne comprends pas quel avantage papa pouvait obtenir si la police l'arrêtait. Alors qu'il fuyait par des sentiers d'acier pour prédateurs.

« Si je me suis efforcée de ne pas te dire la vérité, tu dois tenir compte du fait que tu n'avais que neuf ans... Pour te dire les choses telles qu'elles étaient lorsque tu aurais assez de bon sens. »

Mais tout ce que je sais sur papa je l'ai vérifié par mes propres moyens en esquivant chantages, mensonges, cachotteries. Tes souvenirs s'étant éteints dans une nuit sans flamme.

Tu argumentes, mise au pied de ta dissimulation, que tu m'as caché la vérité à cause de mes camarades d'école et « pour t'épargner le plus possible les épines », etc. Mes camarades de Ciudad Rodrigo et de Madrid connaissaient la vérité. Le *plus grave*, nul ne l'ignorait, c'est-à-dire que papa était un *officier antifranquiste* et incarcéré. Jusqu'à moi ne parvenait qu'une brise tremblante.

« Les raclées plutôt rares que tu as reçues, ce fut lorsque, en grandissant, tu as pris l'habitude de forcer les portes secrètes. »

Je peux te dire le jour et l'heure de chacune de ces raclées. J'écrivais déjà « mon journal » comme

qui caresse un corbeau. Tu dis « que tu as reçues »
au lieu de « que je t'ai données ». Tu ajoutes qu'« il
faut croire que c'était mon devoir de te laisser
devenir un petit voyou ». Tu ne voulais pas, bien
sûr, que je devienne un petit voyou... mais un officier de l'armée qui a condamné mon père. Un
guerrier luttant contre sa cause. Aucun enfant ne
mérite une raclée, jamais. La torture est l'arme des
stériles saisis de peur jusqu'aux orteils. Mais cela
n'a pas d'importance, comparé à la tragédie de
papa.

« Qu'il ait eu *sept frères et sœurs*, c'est là la version que je t'ai toujours donnée parce que c'était la
vérité. Ils étaient sept : quatre sont morts en bas
âge. » Quatre qui sont morts plus les deux autres
(oncle Rafael et oncle Angel) font un total de six.
Donc il avait six frères et sœurs... ou sept ? En réalité, il n'a eu que deux frères, comme tu le sais. Il
n'y a pas que la fortune que l'on peut compter sur
ses doigts.

Que tu dises que « le Tribunal l'a vraiment bien
traité » ou que « son défenseur s'est très bien
comporté » me fait mal. Le « défenseur » a essayé
de donner par sa présence, du fond de la nuit, une
vague apparence de légalité à une parodie de procès. Ce « défenseur » du néant n'a pas mis en question la légitimité d'un procès (et d'un tribunal) si
illégal. Il n'a jamais objecté qu'il était injuste de
faire condamner un homme pour rébellion militaire, justement par des militaires rebelles envers le
gouvernement légal. Des officiers séditieux, étrei-
gnant des lambeaux de glace et qui, à cette époque,
ne contrôlaient qu'une partie du territoire espagnol.

Le « défenseur » n'a jamais osé avancer un seul
argument en faveur de la justice, et n'a pas cité un

seul témoin à décharge. Je ne vais pas féliciter l'un des membres d'une aussi tragique farce. Il reste dans ma mémoire comme l'un des collaborateurs des bourreaux de papa. (Même si je reconnais que, s'il n'avait pas joué un aussi sinistre rôle, un autre l'aurait fait, pendant la nuit où l'on a poignardé les étoiles.)

« Comme en toute chose, tu interprètes de travers le fait qu'il ait pris plus de photos de toi. De cette époque je possède à moi toute seule des milliers de clichés. Tu ne t'en souviens peut-être pas et c'est normal ! Si, par la suite, on en a moins fait, c'est parce que les besoins domestiques ne nous permettaient pas le luxe de prendre des photos. Tout dépend de la manière dont on voit les choses. Vois-tu comme tu te trompes dans tes interprétations ? »

Je suis persuadé qu'il nous aimait beaucoup tous les deux et autant l'un que l'autre, car il a été aussi bon père que mari. « Toi il t'aimait moins, sans aucun doute », prétends-tu... Je préfère ne pas faire de commentaires quand il ne reste plus que des statues vides.

Tu me parles de « tant de larmes versées ». Je m'en souviens parfaitement. J'en ai versé beaucoup avec toi et d'autres que tu ignores, moi tout seul. Mais ces larmes ne venaient jamais à tes yeux au moment de penser à lui. Pourquoi t'es-tu fermée à l'amour, protégée par le cortège de tes fantasmes ?

J'ai fait mes études dans des établissements religieux. Tu n'as pas choisi ces écoles pour des raisons spirituelles : toi tu ne t'es jamais souciée de religion. Craignais-tu qu'une autre éducation et d'autres camarades de lycée (traditionnellement mieux informés que les élèves des écoles libres) m'apprennent à respecter les idées de papa? Si j'étais entré à l'Ecole militaire, comme tel était ton ardent désir, j'aurais dû obéir à ceux qui ont condamné mon père et les servir. Tu ne voulais pas me voir libre, sans l'escorte des ténèbres.

« Si un jour tu as un enfant... tu comprendras. »

Crois-tu que j'irais dire à mon fils que sa mère, prisonnière politique, « a risqué son avenir », etc.? Crois-tu que j'exigerais qu'à sa libération on l'envoie dans un asile? Que j'écraserais ses rêves sous le rocher du mensonge?

Voici ce que m'a écrit ta belle-sœur (la femme de l'oncle Rafael) peu avant de mourir : « Ton père méritait un autre genre de femme car c'était le meilleur homme du monde, le plus loyal et le plus affectueux, qui méritait tous les biens de ce monde et vois-tu, quelle grande contradiction, le pauvre, comme il a été malheureux. »

Tu termines ta lettre par ce post-scriptum comme une proclamation sous la cendre du temps : « J'ai écrit cette lettre pour toi seul parce que j'ai supposé que c'est toi seul qui m'as écrit la précédente. »

Penses-tu que papa me l'a dictée, à mon côté?... Mais à la porte de ta maison, dans le bottin, sur tous les documents officiels tu te fais appeler à tort, sans que nul ne l'exige, « Veuve Arrabal Ruiz ».

Depuis que j'ai découvert les documents cachés dans le cagibi, tu annonces que je vais « te faire mourir de chagrin ». Grâce à ta détermination et ton énergie tu auras une longue vie. Car le souvenir se trouve dans la mémoire comme dans l'oubli. Quelle grande joie ce sera de pouvoir te choyer centenaire!

Je t'embrasse avec un amour infini.

*

Une semaine après j'ai reçu cette...

Lettre du capitaine Fontejo :

J'ai eu connaissance de tes horribles lettres adressées à ta mère. J'ai décidé d'intervenir dans cette affaire. Je regrette que tu ne sois pas en Espagne pour m'expliquer avec toi, entre hommes.

Tu as déclenché une attaque brutale, par laquelle tu accuses directement ta mère et de la façon la plus impitoyable.

Tu t'acharnes avec un véritable sadisme et rien ne t'échappe pour la blesser au plus profond d'elle-même, bien à l'abri derrière cette affectation de droiture qui te sert de masque.

Bon nombre de réactions et de problèmes, qui sont aisément compréhensibles avec de la bonne volonté lorsqu'on a vécu dans le climat où l'on a vécu dans ce pays, peuvent paraître surprenants pour qui ne connaîtrait pas la guerre civile.

Si j'étais intervenu à ta manière, je n'aurais obtenu qu'un échange épistolaire d'affirmations et de négations qui n'aurait rien permis d'élucider. Moi, lire toutes ces absurdités me blesse profondément, c'est pourquoi je ne vais pas poursuivre dans cette voie.

Voyons un peu. A supposer (ce qui est inadmissible) que tout ce que tu dis et que tu affirmes soit la vérité et non des suppositions, quel avantage en retirerais-tu?

Le nom de ton père est passé inaperçu en bien comme en mal pour tout le monde, sauf pour toi, l'unique exception. A supposer, comme tu le disais, que tout ce que tu dis soit vrai, tu prétends briser ta mère pour réhabiliter un homme qui t'a donné la vie, mais dont les souvenirs que tu as de lui ne sont que des « on-dit ».

J'aurais beau m'efforcer et vouloir distinguer ce que tu essaies de faire voir, tout au plus réussirais-je à voir en ton père un homme tout à fait ordinaire et qui, selon ce que tu cherches à prouver, a eu la maladresse de susciter la haine de sa femme. Je dis « maladresse » pour ne pas parler de personnalité si pauvre qu'il n'a pu attirer à lui celle d'une femme sans complications et bonne (sa propre femme). Elle prouvait alors déjà et a prouvé jusqu'à présent posséder de formidables qualités en sacrifiant sa jeunesse et sa vie pour t'élever toi, son fils, avec cet esprit inné de dépassement si digne d'éloge chez ceux qui le possèdent. Elle n'a pas eu de repos jusqu'à te voir atteindre une sphère au-dessus de ta condition (depuis que tu étais devenu le fils d'une sténodactylo qui ne pouvait compter que sur un maigre salaire).

Ecoute, chacun voit les choses et les faits reflétés à travers son propre prisme et, par conséquent, déformés ou accordés à ses limites. Toi tu vois un être pervers, morbide, sadique et cruel que je n'ai jamais rencontré. Tu as besoin d'air et tu te réjouis dans ton propre laboratoire en imaginant des malheurs pour, enfin, essayer de prendre appui sur les autres. Pour que les autres te prouvent que tes chimères sont des vérités. Tu as l'âme d'un jaloux retors.

Tu continues à collectionner des informations pour donner plus de poids à tes arguments que tu considères peu solides, et même ainsi tu n'hésites pas à les affirmer catégoriquement et à écrire une lettre qui, signée José Pérez, serait déjà douloureuse, mais qui, signée par son propre fils, doit être dévastatrice.

Sache que dernièrement ta mère est restée long-temps au lit avec la grippe et un peu d'encéphalite et je te tiens pour responsable de ce résultat. Tu es aveuglé !

Ce qui me fait le plus rager, c'est qu'il me semble deviner que, justement parce qu'il s'agit de ta mère, tu as voulu montrer à quel point tu aimes ton père, même au risque de te méprendre et de briser un être tel que ta mère qui t'aime et que, dans ton sub-conscient, j'en suis persuadé, tu continues à aimer et à estimer. Pour faire ce que tu as fait, il faut haïr, et toi, comme je te le disais, tu aimes ta mère en la haïssant.

Tu es né bizarre, ta bizarrerie t'a rendu morbide. Ta mère en paie les conséquences même si elle n'est qu'un simple instrument.

Et considère si effectivement il est juste, humai-nement parlant, de pousser les choses aussi loin que tu l'as fait, pour, selon tes calculs, une fois ta mère convaincue de son crime et passée aux aveux (c'est horrible que tu la traites comme une accusée... par tes hallucinations), la condamner. Du haut du Ciel, ton père t'en saurait gré. Le crois-tu vraiment ? S'il en est ainsi, comme tu te fais de lui une singulière idée, ou bien, combien peu il vous aime ta mère et toi.

Tu parles beaucoup de politique et du gouverne-ment actuel. Je dois te dire que la politique ne nous intéresse pas, ta mère et moi. Je crois quant à moi que c'est une branche du droit ou (je ne suis pas bien renseigné) des sciences politiques ou des sciences économiques. J'espère que les doctorats soutenus dans ces disciplines élucideront et règle-ront ces problèmes qui ne m'intéressent pas plus que je ne les comprends... et je suis aussi éloigné de les saisir que de comprendre la psychothérapie appliquée à la Médecine Générale. La seule chose qui m'intéresse, c'est de servir la Patrie.

L'autre jour le ministre des Travaux publics est venu par ici, ce qui m'a permis d'apprendre que le titulaire de ce ministère se nomme le général Vigón. Tu peux te figurer à quel point je me sens éloigné de la vie politique : tu dois te souvenir que le général Vigón était un ami de ta mère et qu'il est venu quelquefois chez toi.

Ma vie s'écoule, heureuse, gaie et sans complications. J'ai mes occupations favorites et j'éprouve pour ta mère de l'affection à cause de ma profession de soldat. C'est un plaisir de l'avoir comme collaboratrice au Ministère. C'est un être exceptionnel. Elle m'a appris à t'aimer.

C'est bon, j'espère que s'il y a dans ma lettre quelque chose qui ne soit pas assez clair, tu sauras cependant comprendre mon intention.

Une poignée de main.

PS : Au cas où tu interpréterais de travers le fait que dans ma lettre je parle de la possibilité que tes affirmations soient vraies, sache que c'était pour tenter de te montrer avec quelle brutalité tu as agi, même dans le cas qui te serait le plus favorable.

*

Lettre au capitaine Fontejo :

Cher capitaine Fontejo.

Je lis ta lettre avec une assez vive émotion. Avec chagrin aussi. Moi qui croyais tant à la force de mes arguments. La plénitude s'estompe.

Mes lettres te semblent les fruits morbides de mon tempérament masochiste ou de la haine envers ma mère, et ce que j'écris de cruelles absurdités. Tu n'abuses pas de la tendresse.

Mais tu ne mets pas en évidence en quoi mes affirmations sont erronées. Pas même pour l'une d'elles. Tu me fais un « procès d'intention ». Pour être fidèle à toi-même et à ma mère.

Depuis que mon père a été arrêté le 17 juillet 1936, ma mère a changé sa vie au gré de son alibi. Elle impose silence et dissimulation autour du calvaire de mon père comme si elle se croyait coupable. Absurdement, elle hurle dans le secret.

N'oublie pas certaines de ses phrases favorites : « pire que la gale », « pire que Caïn », « il a le diable au corps », etc. Dans ses rapports avec son mari, elle entrevoit des « abîmes de méchanceté ».

Probablement, elle est effrayée par ses ravaudages. Se croit-elle « pire que la gale » ? Il faut la dissuader de côtoyer le gouffre de l'extravagance.

Ma mère est un être merveilleux qui inspire l'amour. Tu le sais bien. Mais aujourd'hui elle vit cloîtrée entre les murs de l'oubli, sans aucune amie... et avec un seul ami... toi (son chef de travail).

Elle veut que « l'on ne parle pas fort » pour que les voisins « n'entendent pas ce qui se dit ». Elle essaie de s'isoler dans le crépuscule et de rompre avec le passé. Son récent déménagement (pour fuir ses anciens voisins) est un nouveau maillon de la chaîne... qu'elle juge à présent insuffisant. Maintenant elle rêve d'aller vivre dans un petit village où « personne ne puisse la connaître ». Pour faire halte dans la prairie de la solitude.

Ma mère se cache continuellement. Pourquoi ? Fuit-elle la femme qui l'accuse à cause de sa conduite envers son mari ? C'est-à-dire elle-même ?

Elle cache son passé sous les escaliers de l'oubli. Craignant d'être jugée, continuellement elle se juge.

Pourquoi ne pas en finir avec les mystères sans poignarder les souvenirs ? Tu auras beau la rassurer, elle croira que tout le monde connaît son « puits de méchanceté ». Noire écume qui n'existe que dans son imagination.

Moi je l'aime plus que ne l'aime un homme, plus que tu ne l'aimes.

Ma mère est persuadée que ton affection (aux couleurs de l'amour) repose sur un mensonge : la version qu'elle t'a donnée du destin de mon père. Absurdement elle craint que tu cesses d'être son ami le jour où tu découvriras la vérité, goutte à goutte entre les larmes.

Je crois que, même si les cieux devaient s'effondrer, elle doit réhabiliter mon père pour être réhabilitée. Ainsi elle n'aurait plus à faire de cachotteries, en quête de pieuses brises : les photos découpées, les lettres « perdues », les silences, les secrets, les rides de ses heures, seraient supprimés.

J'entends d'ici ton cri : « Qui es-tu pour juger ta mère ? » Je ne la juge pas. Qui serais-je pour pouvoir le faire ? Elle est supérieure à moi en tout et surtout en bonté. Mais j'ai le droit de savoir : je suis le fils de mon père. Je veux ouvrir les grilles de l'oubli.

Je n'admettrais de la voir juger par personne, même en songe. Mais de ton côté tu ne te prives pas de juger mon père « un homme sans personnalité », etc.

Il se peut que même lorsque ma mère fêtera ses cent ans tu penses (comme elle l'a parfois prétendu) que je la fais « mourir de chagrin ». Dans ta lettre tu es à deux doigts de m'accuser d'être coupable de sa... grippe, ou de son encéphalite. Quel firmament de barbelés me réserves-tu ?

Tu oublies une autre accusation, murée sous un toit de honte et que ma mère m'imputait quelquefois : la possibilité hypothétique d'être enfermée dans « une maison de santé »... à cause de ma conduite. Les lettres qui ont vraiment enfermé dans une « maison de santé », tu les as déjà lues à Burgos, pâlies et archivées dans la tour de la consternation.

J'ai changé mon père en figure quichottesque, mythique. C'est à lui que je dois ma formation morale. Il me guide éthiquement jusque-là où aucune tribulation ne peut corrompre.

Chaque fois que j'apprends une nouvelle station de son « calvaire », je passe ma journée à pleurer. Je l'imagine souvent enfermé en prison, cruellement attaqué, sans pouvoir parler à son fils, ou bien enfermé dans un asile d'aliénés, dormant entravé par la camisole de force, comme l'un des infirmiers me l'a communiqué à l'heure de la vengeance.

Aujourd'hui mon père se dresse comme la figure à imiter, torrent parmi les récifs.

Quand tu l'attaques dans ta lettre, il me semble que ses souffrances n'ont pas pris fin. Je suis saisi de te voir le qualifier d'homme très ordinaire, ou sans personnalité, ou assez maladroit pour s'être attiré la haine de sa femme. Je me console en me disant que tu es jaloux de lui.

Tu considères qu'enquêter sur la vie de mon père me conduirait à briser ma mère. Quel chantage ! Je ne pense qu'à la caresse et tu me proposes la mutilation.

Je crois que, tant ma mère que toi, vous savez que j'ai raison. Or, de ton côté, tu trouves que ces choses ne sont pas bonnes à dire. Tu préfères que l'abcès devienne une gangrène généralisée. Mais il était là bien avant mes lettres : ma mère n'a pas commencé à se cacher ni à rechercher la solitude dans un petit village quand elle les a reçues.

Les lettres sont des cendres et celui qui les écrit un miroir. Il n'existe pas de branche sans tronc, ni de douleur sans tourment.

Tu dis que la politique ne te concerne pas et ne t'intéresse pas. C'est bien pis, toi tu es « concerné » par elle. Tu as la moins apolitique des professions que l'on puisse aujourd'hui exercer en Espagne. Mais qui suis-je pour te donner des leçons, parmi les buissons de mon ignorance ?

En outre j'ai toujours redouté, et aujourd'hui plus que jamais (alors que ta relation avec ma mère est si intime), d'être aveuglé par le poignard de la jalousie.

Reçois mon accolade.

*

Lettre du capitaine Fontejo :

Au lieu d'écrire et de tourmenter ta mère, pourquoi ne racontes-tu pas tout ça au général Franco ?

Tu dis que tu veux imiter ton père et son attitude morale.

Prouve que c'est vrai en agissant comme lui a agi le 17 juillet 1936 à dix heures du soir. Répète son « exploit ».

Suicide-toi en écrivant au Caudillo et cesse une bonne fois de martyriser ta mère.

Sincèrement.

9

J'ai écrit quelques jours plus tard cette...

Lettre à Franco :

   Excellence,

Je vous écris cette lettre avec amour.

Sans la plus légère ombre de haine ou de rancœur, il me faut vous dire que vous êtes l'homme
qui m'a causé le plus de mal.

J'ai grand peur en commençant à vous écrire.

Je crains que cette modeste lettre qui émeut tout
mon être soit trop fragile pour vous atteindre,

   qu'elle n'arrive pas entre vos mains.

Je crois que vous souffrez infiniment :

seul un être qui ressent une telle souffrance peut
imposer tant de douleur autour de lui;

La douleur règne non seulement sur votre vie
d'homme politique et de soldat mais jusque sur vos
distractions :

vous peignez des naufrages et votre jeu favori est
de tuer des lapins, des pigeons ou des thons.

Dans votre biographie, que de cadavres !

Toute votre vie couverte par la moisissure du
deuil. Je vous imagine cerné de colombes sans

pattes, de guirlandes noires, de rêves qui grincent de sang et de mort.

Je souhaite que vous vous transformiez,
que vous changiez,
que vous vous sauviez, oui ;
c'est-à-dire, que vous soyez heureux, enfin ;
que vous renonciez au monde de répressions, de haine, de geôles, de bons et de méchants qui présentement vous entoure.

Il y a peut-être un lointain espoir que vous m'écoutiez : étant enfant, on me fit assister à une cérémonie officielle que vous présidiez.

A votre arrivée, au milieu des ovations, les autorités vous rendirent hommage.

Alors une fillette, préparée à ce rôle, s'approcha de vous et vous tendit un bouquet de fleurs. Puis elle commença à réciter le poème mille fois répété... Mais soudain, en proie à l'émotion, elle se mit à pleurer. Vous lui dites, en lui caressant la joue :

– Ne pleure pas, je suis un homme comme les autres.

Se peut-il qu'il y ait eu dans vos paroles autre chose que du cynisme ?

Ne voyez en moi aucun orgueil.

Je ne me sens en aucune façon supérieur à quiconque : nous sommes tous les mêmes.

Ce que je vais vous écrire dans cette lettre, la plupart des hommes d'Espagne pourraient vous le dire si leurs bouches n'étaient pas scellées.

Désormais sans l'excuse de la guerre
en pleine paix,
l'appareil répressif à vos ordres continua à condamner et à tuer des milliers d'Espagnols,
réclamant, comme si les poteaux d'exécution avaient besoin d'une nouvelle ration de sang,

jusqu'à ceux qui se réfugiaient à l'étranger et que vous livraient les nazis.

Un deuil épais d'hyènes à la voix rauque, de ferraille et de pus tomba de tout son poids sur les hommes d'Espagne.

Vous-même avez déclaré ces années-là :

« Si nécessaire nous tuerons la moitié du pays. »

Je ne vous dis rien de tout cela avec rancune.

Vos raisons sont connues :

Les « gens de bien » ne pouvaient vivre tranquilles. Les détentions arbitraires se multipliaient, les attentats et les grèves révolutionnaires. La balle dans la nuque comme dans le cas de Calvo Sotelo illustre parfaitement la situation. Un climat d'insécurité et d'anarchie affolait l'Espagne et allait la mener à sa perte.

L'Espagne était en pleine barbarie, dites-vous.

Il y a la violence aveugle et les victimes baignées de cendres.

L'Espagne regorge de justiciers armés jusqu'aux dents,

de chefs implacables pleins d'autorité

et surtout d'hommes qui ont raison et veulent l'imposer aux autres, si nécessaire, par le sang et par le feu.

Et, à présent, je vous écris sans orgueil.

Combien donnèrent leur vie dans un silence de verrou, et l'oubli les écrasa comme une locomotive sans mémoire.

Des hommes que la terre engloutit pour toujours.

Des hommes dont il ne reste aucun souvenir sur aucun arc de triomphe,

dans aucun livre d'histoire,

dans nos mémoires.

Des hommes qui pour la plupart moururent en criant « Vive la Liberté »...

et dont nul jamais plus ne parla.

Dont le « martyre » fut dissimulé par leurs familles des années durant

par crainte de la répression, jusqu'à ce qu'il disparaisse du souvenir.

Tels sont les pères de tant d'hommes de ma génération.

Oui, tout cela il faut l'oublier comme on le dit à présent et je l'oublie.

Il faut regarder vers l'avenir et nous ne pouvons ancrer notre vie dans la rancœur

à une condition :

Que l'on oublie tout, oui, après avoir condamné cette guerre civile, notre tare.

L'idéalisme de nombreux combattants est reconnu... la barbarie dont ils firent preuve doit elle aussi être reconnue et proscrite pour toujours.

Je n'étais qu'un enfant témoin d'un brasier et d'une frénésie de mort que je ne pouvais analyser et qui s'imprimait dans ma chair et dans mon âme comme un fer rouge.

Tant d'enfants comme moi virent les mêmes spectacles !

D'enfants qui rêvaient de hochets de dynamite et de fusillades au bord de leur berceau.

Dans ma mémoire persistent des souvenirs précis et inoubliables de la guerre... de la répression,

de craintes,

de paniques,

de délations,

de fanatisme,

de censures,

de lettres toujours ouvertes, de conversations prudentes, de pas effarouchés.

La vie quotidienne baignait dans le même climat.

Même les fêtes trempaient dans le sang et la mort :

dans les processions, pour donner l'illusion que les Vierges faisaient de constants miracles, on disposait à leurs pieds des colombes qui ne s'envolaient pas « tant était grand le pouvoir spirituel de la Vierge ».

En réalité, on crevait les yeux de ces pauvres oiseaux avec des épingles et l'on coupait les nerfs de leurs ailes : tremblantes et aveugles elles restaient ainsi terrifiées, leurs petites pattes crispées au pied de la statue.

C'était le temps où vos organes d'information proclamaient que la Vierge avait couvert de son manteau miraculeux la traversée du détroit de Gibraltar par l'armée rebelle... alors que c'étaient les junkers de Hitler qui avaient protégé le débarquement.

Et la victoire perpétuelle augmentait vos barbelés, qui blessaient de leurs couteaux la solitude de l'Espagne.

Le jour où s'acheva le conflit, des centaines de personnes s'assemblèrent sur la grand-place de Ciudad Rodrigo, la petite ville où je vivais alors, et nous écoutâmes en silence le dernier communiqué de guerre.

Vous l'avez lu, je crois me souvenir,
d'une voix nette, sans émotion particulière,
proclamant que la guerre était finie,
que les rouges avaient été désarmés.

Il y eut, après le communiqué, quelques instants de recueillement,
mais soudain, vos inconditionnels applaudirent très fort.

Toute la place applaudit, donc,
puis on chanta l'hymne national le bras levé.

Il me sembla que beaucoup regardaient en direction de la prison.

J'eus même l'impression qu'ils tournaient leurs regards vers ces geôles avec tendresse et connivence, vers ces hommes qui emplissaient à craquer le pénitencier de Ciudad Rodrigo et que souvent nous entendions crier des douves.

En ce temps-là on criait dans toutes les prisons.

Et ces hurlements étaient le sourd tam-tam des occupations quotidiennes.

Je me suis entretenu avec d'anciens prisonniers politiques et de droit commun qui m'ont parlé des camps et des prisons de cette époque.

Tandis que le monde, préoccupé par la guerre mondiale, oubliait l'Espagne et sa douleur, dans les prisons et dans les camps l'homme était traité d'une manière bestiale.

A nos oreilles d'enfants puis de jeunes gens parvenaient des échos de châtiments moyenâgeux,

de vengeances,

d'hommes humiliés,

blessés,

torturés.

A Madrid, où je suis allé vivre à l'âge de neuf ans, même les collèges étaient devenus des prisons.

Les Escolapios de San Antón y Porlier, par exemple.

L'Espagne n'était qu'une prison faite de petites prisons qui se précipitaient vers l'enfer.

Comme j'aimerais que tout cela fût faux,

Que vous puissiez me démontrer que tous les échos qui épouvantèrent mon enfance et ma jeunesse sont pure invention.

Nous, les enfants qui avions alors dix, douze ans, nous étions embrigadés dans les formations paramilitaires de la Phalange,

nous y apprenions à chanter :

« Vive, vive
la Phalange des JONS »,
à appeler les autres « camarades »
et à haïr l'Angleterre.
On nous mettait une chemise bleue
pour imiter le bleu de travail des ouvriers,
puisque les fils de famille de la Phalange, qui se disaient favorables aux ouvriers, allaient faire la révolution syndicaliste.

Que de fois ai-je vu traîner une pauvre femme au PC d'une centurie où on la tondait à zéro parce qu'elle ne savait pas chanter l'hymne fasciste *Cara al sol.*

Il y a une chose que je veux vous raconter assez en détail.

J'habitais Madrid... C'était en 1946.

J'avais quatorze ans.

Un beau jour, au collège San Antón en classe de seconde, le professeur d'éducation politique obligatoire, c'est-à-dire la personne qui essayait de faire de nous tous des fascistes, nous dit que nous devions aller à une manifestation

pour « soutenir l'Espagne » contre l'ONU qui demandait le boycottage du pays.

Nous nous rendrions avec « tout le peuple de Madrid » sur la place d'Orient.

Classe par classe et sous peine de châtiments sévères, on nous mit tous en rang, en route pour la place.

Au lieu d'y aller directement, ceux qui nous dirigeaient et nous surveillaient nous firent passer par la place de C. Colomb, la Cybèle, rue d'Alcala, etc.

Plus tard je compris pourquoi nous avions dû faire un si extraordinaire détour pour aller de la rue Hortaleza (collège San Antón) à la place d'Orient :

Pour que tout Madrid fût inondé de défilés « spontanés ».

On nous fit crier des slogans que très souvent nous ne comprenions pas du tout.

Ma mémoire en a retenu miraculeusement quelques-uns :

« S'ils en ont UN nous en avons deux » (*Si tienen uno* [la UNO : l'ONU] *nosotros tenemos dos* »).

« Thorez est un taureau. »

En arrivant à la place d'Orient, nous étions, semble-t-il et cela ne me surprend pas, plus d'un demi-million.

Dans les usines et les bureaux les manifestants furent enrôlés de la même manière.

De même, sous de semblables menaces, fut conduit à la place d'Orient le vieux dramaturge Jacinto Benavente ;

l'auteur chenu et l'auteur naissant (moi) se heurtèrent peut-être dans le tohu-bohu de la place comme pour se transmettre dans leur domaine, notre domaine, le théâtre, la répulsion de l'intolérance qui nous entourait.

Parmi les griffes, les poignards et les bottes de cuir où il n'y avait place ni pour les fleuves ni pour les étoiles, le vieillard enchaîné et le jeune garçon se regardèrent comme deux brebis d'hiver.

Quelques mois plus tard allait survenir un autre événement politique dont je me souviens.

On avait organisé un référendum, ce devait être en 1946.

Je ne me souviens plus pour quoi.

Toute propagande en faveur de l'abstention ou du NON entraînait la prison.

Pendant des semaines tout le pays fut envahi par la propagande officielle : « Votez Oui. »

Naturellement personne ne s'enhardissait à suggérer, même en privé, de s'abstenir ou de voter NON.

Près de ma maison de la rue de la Madera, il y avait un bureau de vote :

exactement dans la rue de la Luna.

Le matin du référendum dans le bureau et dans la rue se forma une queue impressionnante pour voter.

Tous ces hommes et toutes ces femmes des rues populaires : rue del Pez, San Roque, etc., faisaient la queue tenant en main, bien visible, le bulletin du Oui.

Comment oublier les visages tremblants de mes voisins qui craignaient de ne pouvoir réussir à voter.

Quelle panique sur leurs figures. Quelle émotion de les voir si fragiles, si humiliés.

Tous voulaient échapper aux représailles que subiraient, selon les informations officieuses qui couraient de bouche en bouche, ceux qui ne voteraient pas.

Pauvres gens, pauvres aussi grands que la terre et si menacés !

C'est ainsi que se faisait la politique en Espagne, en votre nom.

Tout prenait un caractère grotesque et tragique.

Les discours parlant du complot maçonnique-libéral-judéo-démocratique-marxiste,

les attaques xénophobes contre la perfide Albion, etc.

Dans ce climat de vengeances, de craintes, de mensonges, nous sommes nés à la vie.

Douter de l'existence de Dieu aurait signifié cesser d'étudier.

Condamner le catholicisme aurait entraîné les pires dangers.

La moindre critique contre votre personne ou votre régime, la prison.

Les livres officiels nous enseignaient des erreurs ou passaient sous silence tout système en contradiction avec votre façon de gouverner.

La censure s'exerçait dans tous les domaines.

Votre gouvernement avait peur de tout.

Dans mon livre de littérature les écrivains les plus importants avaient droit à quelques brèves lignes diffamatoires.

De Voltaire, par exemple, le livre disait textuellement :

« Monstre satanique qui rêva de détruire l'Eglise. Toutes ses œuvres sont à l'Index. »

Les plus grands poètes français (Baudelaire et Rimbaud, etc.) étaient cités dans une liste de scélérats.

Toute théorie philosophique, politique, littéraire ou scientifique qui n'entrait pas dans le cadre du dogme officiel était condamnée en deux mots.

L'enseignement avait une double mission :

– ne pas nous informer ;

– condamner.

Ainsi s'est forgée une génération d'étudiants, la mienne.

Imaginez ce qui se passait dans d'autres classes moins favorisées.

En ce temps où la misère était si grande qu'il n'était pas rare de voir s'évanouir les gens dans la rue, de faim.

Quelles années tragiques... et parfois si tragi-comiques.

Vers cette époque la première du film *Gilda* fut interrompue au Palais de la Musique aux cris de « Vive le Christ-Roi » parce que le film – coupé par les censeurs – était jugé athée.

Il y avait alors une formule sinistre et en même temps pleine de tendresse qu'on lançait lorsque éclatait la moindre discussion avec un franquiste officiel ou un agent :

« Non, moi je suis de droite depuis toujours »,

c'est-à-dire qu'il ne suffisait pas d'être simplement de droite, il fallait presque démontrer que l'on était ainsi de naissance.

Ce système que vous imposez entraîne une douleur (un crime, hélas !) supplémentaire :

il crée des hypocrites et des menteurs par la force des baïonnettes.

Qui peut croire que, comme par enchantement, toute l'Espagne, qui, dans sa majorité, était favorable à la démocratie républicaine ou à la monarchie libérale ou au marxisme, ait pu adopter soudain avec une telle chaleur et une telle unanimité la dictature militaire ?

Vos collaborateurs le croient-ils ?

Ou pensent-ils, peut-être, qu'après plusieurs lustres de totalitarisme politique on peut extirper du pays la liberté de pensée ?

Nous avons été des enfants manipulés et des hommes cherchant la parole.

Quel silence sous le toit !

Personne ne faisait jamais, ni n'a fait publiquement la plus anodine déclaration défavorable à l'état de fait.

Ce lavage de cerveau provoquait des réactions contraires à celles que l'on attendait.

Nous étions tous
convaincus
que toute proclamation officielle ou toute information du gouvernement était toujours entièrement fausse.

C'est ainsi que nous avons pu nier des vérités évidentes parce qu'elles nous parvenaient sous le sceau officiel.

Nous nous méfiions de tout
nous sommes une génération de sceptiques
et parallèlement
nous étions disposés à « reconnaître » publiquement les plus grandes aberrations, car cette reconnaissance nous était nécessaire pour gagner notre pain de chaque jour.

Pour toute chose il fallait deux certificats :
– l'un de loyauté envers le régime, qui était décerné par les fonctionnaires de la Phalange ;
– l'autre de bonne conduite – c'est-à-dire prouvant que l'on était catholique et pratiquant –, délivré par le curé de la paroisse.
J'ai passé ces années d'après-guerre dans différents collèges de frères Escolapios :
chaque cours commençait par la prière, comme dans tous les collèges publics et privés,
dans toutes les classes il y avait votre portrait et celui du leader fasciste José Antonio et, entre les deux, un christ.
Tous les matins, avec tous les élèves du collège, en rang, on chantait le bras levé des hymnes patriotiques qui se terminaient par des vivats qui vous étaient adressés et des Vive l'Espagne.
Des fonctionnaires du gouvernement ou du parti unique, la Phalange, nous donnaient des cours d'éducation politique, religieuse et de culture physique.
Matières qui figuraient au programme scolaire,
grâce à elles on essayait d'annihiler en nous tout esprit critique.
Et ces trois disciplines nous poursuivaient durant toutes nos études

non seulement dans les lycées et les collèges mais aussi à l'université.

Tous les élèves

qui aujourd'hui sont ingénieurs, avocats, médecins, et qui, dans leur immense majorité, s'opposaient à votre régime,

se voyaient contraints d'enterrer leurs idées, leurs croyances, et de proclamer pendant ces examens leur « amour du franquisme et du catholicisme » pour pouvoir terminer leurs études.

Qui pouvait se montrer satisfait de cette « conversion » qui durait le temps d'un examen ?

Nous étions si habitués à ce forfait que nous ne manifestions notre haine ou notre mépris que par des plaisanteries sur ces « trois Marie » qui, comme trois prostituées, nous accompagnaient pendant toute notre vie d'étudiants.

Les spectacles se terminaient sur ordre du gouvernement par l'hymne national et les cris traditionnels de « *Viva Franco* » et « *Arriba España !* »

Un jour, au cinéma Charles-III de Madrid, à la fin du film, nous, les spectateurs pressés, sans aucune intention subversive, nous tentâmes de nous soustraire à l'exercice.

La police aussitôt informée

nous claquemura dans le local

et, bras levé, nous obligea à chanter mille et mille fois l'hymne fasciste : *Cara al Sol.*

C'était une époque de terreur dans tous les domaines,

jusqu'à l'hystérie :

Terreur politique, naturellement,

mais aussi terreur religieuse et sexuelle.

Par exemple le Foyer de l'Employé, centre catholique madrilène, s'occupait de surprendre les amoureux réfugiés dans les parages obscurs de la caserne de la Montaña, pour leur donner une bonne raclée ou les arroser avec des seaux d'eau froide.

« Et ils peuvent s'estimer heureux, ces sales cochons-là qu'on ne les dénonce pas à la police. »

Ces années, ces lustres, pendant lesquels se déroulèrent notre enfance et notre jeunesse... Combien ont pu y échapper sans dommage ?

Enfance, portant une plaie au cœur, baignée d'eau croupie.

Je me souviens que
tout le monde
allait à la messe
parce qu'il y avait intérêt, comme on disait alors.
Voilà qui était blasphémer !

Les blasphémateurs sont ceux qui obligeaient le plus grand nombre à prendre des vessies pour des lanternes.

Pour un juron adressé à Dieu (propriété entre les mains de votre gouvernement) on allait en prison ou, dans le meilleur des cas, on recevait une volée.

Je ne cesse de vous parler de choses que j'ai vues que j'ai entendues.

Par exemple :

Une bande de jeunes gens ivres, qui partaient au service militaire, eut la malencontreuse idée de faire ses besoins dans le creux d'un socle, là où l'on plante la grande croix de l'église...

Ils furent condamnés à douze ans de prison.

Le Dieu d'amour se muait, entre les mains de vos séides (excusez le mot), en Dieu de vengeance et de haine.

Les Républicains et les Démocrates se voyaient contraints de s'inscrire à la Phalange, d'aller à la messe ou de mettre des emblèmes ou des drapeaux, s'ils ne voulaient pas perdre leurs très modestes emplois, grâce auxquels ils nourrissaient leurs enfants.

Des hommes humiliés pour toujours !
Il fallait mentir
vivre dans l'imposture
il fallait prier et communier pour obtenir une place de concierge dans un ministère.

Ou applaudir la Révolution Nationale-Syndicaliste pour pouvoir vendre des cigarettes dans une voiture de mutilé sur une place de Madrid.

Tant de pauvres hommes, avilis, écrasés, contraints de trouver noir ce qui, ils en étaient archi-convaincus, était blanc.

Et ces hommes furent condamnés à éprouver de la honte face à leur conscience, pour toujours.

Combien d'hommes s'affichaient encore et encore dans des manifestations, des meetings, des réunions de centuries ou dans des églises, parce qu'ils redoutaient qu'un jour on apprît qu'ils avaient appartenu à un syndicat ouvrier ou à un parti démocratique ?

Des hommes angoissés qui demandaient à leurs amis ayant des « relations » :
Je ne suis pas fiché, n'est-ce pas ?
Nous étions tous fichés.

Parmi les ombres, les éperons et les menaces, retenant sa respiration et sa fureur, tout un peuple laissait se faner ses idéaux.

L'éducation de notre génération ne put être pire.

Enfants régis par des bœufs, punis par des épées aveugles, enfermés dans des églises putréfiées. La lumière emprisonnée et l'illusion détruite.

Les méthodes d'éducation étaient saisissantes.

Dans tous les collèges de frères Escolapios que j'ai connus (San Antón, Getafe, Tolosa), on faisait subir aux élèves des châtiments corporels.

La raclée était l'arme pédagogique.

Des raclées épiques.

Il n'était pas rare de voir un professeur (un prêtre) frapper un élève jusqu'au sang à coups de pied et de poing.

C'était une éducation à l'image et à la ressemblance du climat qui régnait.

Même nous, les enfants, reflétions dans nos jeux la violence que nous discernions.

Des jeux sauvages où la torture et le martyre de nos condisciples avaient une grande part
comme la mutilation ou le massacre d'animaux.

Des échos nous parvenaient des prisons,
des prisonniers que l'on obligeait à se confesser avant de mourir.

C'est à la prison de Burgos qu'un condamné fut achevé à grands coups de crucifix sur la tête,
sans que personne n'ait jamais su ce que cet homme avait pu dire à son confesseur pour déchaîner une telle colère.

C'est ainsi qu'on essaya de nous élever :
à grands coups de crucifix.

A beaucoup la tête éclata avec des éclairs de sang s'écoulant goutte à goutte des grelots.

C'était (et c'est encore malheureusement) une Espagne dominée par la partie pourrie de l'armée.

Car il y a un mensonge que les vôtres ont érigé en dogme : « L'armée espagnole dans sa totalité se dressa contre la République. » Bien au contraire, la vérité c'est que la plupart des officiers (sans parler de la troupe) soutinrent la République contre votre rébellion.

Vos alliés furent : la Légion étrangère, les troupes mercenaires marocaines, les fascistes italiens, les nazis allemands... et une faible partie de l'armée espagnole.

Pour cette raison la répression fut si dure contre les militaires.

Un seul général sur les huit commandants en chef des huit régions militaires se joignit aux mutins.

Sur les 21 « officiers généraux » (grade le plus élevé de l'armée espagnole), 17 restèrent fidèles à la République.

Sur les 59 généraux de brigade, 42 optèrent pour la République.

De même tous les généraux de la Garde civile et le général en chef de l'aviation embrassèrent la cause de la légalité républicaine.

Combien de soldats versèrent leur sang pour la République !

Jamais dans l'Histoire il n'y a eu un tel bain de sang militaire pour la défense de la République.

Actuellement, la situation, disent vos amis, n'est pas aussi dramatique qu'à la fin de la guerre.

Cependant :

L'intolérance demeure

L'absence de critique fait loi.

Lorsqu'un journal espagnol réclama la démission de De Gaulle, le quotidien fut suspendu car les censeurs estimèrent que l'article en question pouvait être considéré comme un appel pour que vous cédiez les rênes du pouvoir.

Tous les commentaires de la presse, de la télévision, de la radio sont toujours favorables à « votre croisade » et au régime qu'elle a instauré.

Ce ne sont qu'éloges, flatteries et bravos.

Tresses de miel amer couvrant l'Espagne de silence baveux.

Si personne ne critique, comment peut-on progresser ?

Comment corriger les défauts toujours possibles ?

Peut-il exister un homme infaillible ?

Les meilleurs Espagnols restent en dehors de
l'organisation du pays.

Pauvre Espagne !

Cave à l'odeur d'urine où l'on mange entouré de
barbelés de deuil et où le chien enragé plante ses
crocs dans le cœur.

Dans ce climat d'oppression, j'étouffais littérale-
ment.

Comme je ne pouvais respirer spirituellement

je finis par avoir des ennuis pulmonaires et

je tombai tuberculeux.

Nos poumons s'emplissaient de vieux vêtements
et de bulldozers assoiffés.

L'atmosphère d'hypocrisie qui règne dans le pays
est institutionnalisée dans les prisons.

Les prisons sont

administrées

surveillées

par un tiers des prisonniers eux-mêmes

que l'on appelle « destinos ».

Dont la mission est d'informer, de surveiller et de
tourmenter les prisonniers, leurs camarades.

C'est aux « destinos » les plus inhumains que l'on
confie le soin des cachots « de discipline » et,
souvent, ils martyrisent sadiquement ces pauvres
hommes qui, comme des rats, passent des jours, des
semaines, des mois entre quatre murs.

Les « destinos » les plus forts sont ceux qui rossent
les détenus qui ont tenté de s'évader, raclées qui se
soldent par des blessures ou des mutilations.

Je n'appartiens à rien ni à personne.

Je désire seulement que règne la liberté et que
l'injustice cesse d'écraser les autres.

J'aimerais pouvoir croire que tout ce que je viens
d'exposer est faux,

que je me suis trompé.

Je vais copier pour vous la lettre clandestine d'un condamné à mort par ceux qui vous suivent.

Elle dit :

« Chère Flora et chers enfants,

« Je souhaite que la présente vous trouve en bonne santé, moi pour le moment je vais bien.

« En ces instants de la prison on m'emmène vers une fin tragique pour moi et à la fois pour toi et pour mes chers enfants. Vous savez bien combien j'ai toujours voulu être bon pour tous en général. Je souhaite que vous finissiez votre vie en ayant plus de chance que moi et que vous fassiez preuve de bons sentiments, peu importe si vous n'en êtes pas récompensés. Quant à moi, jusqu'au dernier moment je serai fidèle à mon sentiment de la justice et de l'équité humaines.

« Pour mes enfants, je désire seulement qu'ils soient aussi bons qu'ils le sont, continuez dans la bonne voie avec courage, qu'ils ne vengent pas ma mort. Soyez bons, mes enfants, pour votre mère, et, pour la société, essayez d'être le plus utiles possible. Vous connaîtrez peut-être une société meilleure ayant de meilleurs sentiments humains, contribuez à la perfectionner. Cultivez et contrôlez toujours votre conscience, et vous serez toujours heureux même si vous n'avez pas de chance, soyez sûrs que personne ne pourra déformer le sens de votre juste conduite.

« Mes enfants, votre père mourra dans quelques heures. Je vois venir la mort et, croyez-moi, je suis calme. Je vous aime tant, tous, que je pars en vous donnant un baiser qui me vient du fond du cœur.

« Pour toi, chère Flora, mon inséparable étreinte. Ton image est gravée dans mon cœur. Tu peux être sûre que lorsque la main tirera sur moi je serai en train de te donner mon dernier baiser. Tu peux être tranquille, ton Macario saura mourir comme il a vécu.

« Je vous envoie à tous mon dernier baiser au bord de mon dernier soupir.

« Signé : Macario. »

Dans la marge de cette lettre un détenu a écrit :
« Quand Macario entendit prononcer son nom par le bourreau, il me mordit fortement le bras. »

Jusqu'à quand l'Espagne devra-t-elle mordre le bras ami pour souffrir en silence ?

Sans rancœur.

Sincèrement.

10

Le pays est devenu démocratique et j'ai pu, enfin, consulter les archives.

Quelle cordialité de tous, depuis les fonctionnaires du ministère de la Justice jusqu'aux généraux de l'armée ou les historiens. TV1 proposa trois programmes pour retrouver mon père. Et j'ai reçu plusieurs lettres semblables à celle-ci, d'un aimable officier de la Garde civile :

17-2-1999.

Monsieur,

Bien que j'aie entrepris plusieurs démarches en vue de trouver votre père, don Fernando Arrabal Ruiz, il ne m'a pas été possible d'obtenir quelque renseignement positif que ce soit. C'est pourquoi je pense qu'au fil du temps s'est perdue toute trace (piste) qui puisse nous donner quelques lumières sur votre père. Recevez mes plus cordiales salutations...

11

Le temps a passé... plus d'un demi-siècle après sa mystérieuse disparition !

J'ai écrit cette lettre d'amour à ma mère à l'occasion de ses quatre-vingt-dix ans :

Maman chérie,

Tu fêtes aujourd'hui tes quatre-vingt-dix ans. Quel bonheur !

Que de fois lorsque j'étais enfant j'ai pleuré à chaudes larmes, angoissé de ne pouvoir exprimer par des mots combien je t'aimais.

Aujourd'hui, j'éprouve la même anxiété. Je pourrais te répéter ce que je t'écrivais alors voici plus d'un demi-siècle :

« Comme j'aimerais égayer ta vie d'un petit lopin de bonheur ! »

La légende raconte un supplice chinois. Les victimes étaient deux amoureux (ou deux esclaves en fuite). Le bourreau les enchaînait, leur mettait des fers aux pieds qui les liaient l'un à l'autre, et les déposait au plus profond d'un puits que l'on scellait. Au bout de plusieurs mois, quand le bourreau ouvrait le puits, les restes des victimes mortes entredévorées, tout au fond, servaient de pâture aux vers nécrophages.

La guerre civile (l'Histoire, cette marâtre) nous a infligé à toi et à moi ce martyre.
Nous avons été aussi sur le point de nous dévorer.
Cependant, même prisonnier de la fatalité,
je rêvais d'espoir.
Celui qui a nourri mon enfance et mon adolescence...

Te souviens-tu qu'un jour sur la Plaza del Conde à Ciudad Rodrigo je t'ai dit : « Je rêve d'un espoir soulevant jusqu'au ciel ses vagues d'écume » ?

Aujourd'hui, en quête de moi-même, j'ai installé ma retraite et mes prérogatives dans ma mansarde.
Lorsque je grimpe les escaliers de ma maison, je parviens à la solitude. Et j'imagine que je te reçois. Avec papa !
Sous votre égide, je pense : je ne suis pas ce que je suis.
Toi et lui vous n'êtes pas non plus ce que vous êtes.

L'Histoire, cette marâtre, par ses froids scintillements de soumissions nous a confinés dans les étables de l'Etat et nous a transformés.
Comme si, pour nous faire une place dans l'existence, nous avions dû trahir aspirations et inspiration.

Papa a peut-être aussi fêté ses quatre-vingt-dix ans.
Il y a peu, j'ai rendu visite à un écrivain de cent trois ans. Il m'a dit avec humour : « Etant donné mon âge, j'aurais presque pu être votre grand-père ; le père de votre mère ou de votre père. »
En le voyant monter prestement des escaliers pour trouver un livre qu'il voulait me montrer, je me suis pris à penser à toi.

Je souhaite que tu ne meures jamais... au grand jamais !

Avec quelle nostalgie je me rappelle ces années passées si proches l'un de l'autre avant notre rupture,

quand la tragédie (inavouable) nous unissait, solitaires, contre tous et contre le destin,

quand les jours de fête nous nous endimanchions, non pas pour les autres, mais pour nous-mêmes,

quand à mon côté, sur la Alameda de Ciudad Rodrigo, je te disais : « Tu es le printemps de Botticelli, mais pour moi seul »,

ou quand nous assistions

(« nous sommes comme deux fiancés »)

aux concerts dominicaux, assis sur des chaises métalliques,

quand tu étais la Traviata aux fantasques travers de la Rosaleda, ou la Maja assise sur un banc de la place du Pin au Retiro.

L'Histoire, cette marâtre, a éclipsé cette lune de miel.

« Mon corps plane à bord du tien, comme la mouette s'élève avec la brise et tremble de bonheur. »

Le temps d'un souffle, j'étais beau au contact de ta beauté.

L'Histoire, cette marâtre, a ouvert une parenthèse de rage qui s'est prolongée presque jusqu'à ce jour.

Pourquoi pendant tant d'années

pendant un demi-siècle

n'avons-nous pas compris que la tragédie de la guerre civile nous poussait à nous dévorer au fond du puits de l'angoisse ?

Tel fut notre supplice chinois.

Lorsque papa fut lynché sur l'air de la calomnie, la coupable ce fut... l'Histoire, cette marâtre.

Lorsque papa fut torturé et condamné, la coupable ce fut... l'Histoire, cette marâtre.

Lorsque papa fut renié et mis au cachot, la coupable ce fut... l'Histoire, cette marâtre.

En tête à tête avec la mort, les juges expéditifs ont rabaissé papa à la condition d'esclave ou de fou.

C'est pourquoi j'ai noté dans mon *Journal* :

« Plus que de la répulsion, ces bourreaux inspirent au juste de la pitié là où le coucou siffle dans la lavande. Pauvres bouchers d'abattoirs ! »

Avec quelle fantasmagorie la chimère s'enfonçait dans la voracité, pendant ces années tragiques !

Lorsque j'ai compris le désastre, à l'âge de quinze ans, j'ai écrit :

« La vie passe, devant ce *Journal*, comme un ruisseau dans un crépuscule sombre et nuageux. Sans que rien de beau puisse s'y refléter. »

J'ai fait des efforts

inutiles !

Pour t'oublier.

Pour maudire ton souvenir.

J'ai tenté de te haïr, d'une façon si irrationnelle !

J'ai écrit dans mon *Journal*, plein de morgue :

« Je tâche d'être mon propre maître. J'espère chausser l'Univers. »

Pour te renier, j'ai inventé des subterfuges.

« Je joue à être mon propre père, et parfois, je crois y parvenir. »

Mais quand j'asseyais sur mes genoux la rancune que je gardais envers toi

« seul un vide infini s'emparait de moi ».

Je voulais t'oublier.

Oublier que, pendant mon adolescence, tu venais me voir dans ma chambre :

« Bien que tu portes ta chemise de nuit blanche, c'est comme si tu étais vêtue de toutes les couleurs et parée de tous les atours. Tu es la beauté de l'amour. »

Et tu me répondais, rieuse, coquette, modeste et enchantée : « C'est que pour toi je suis la Fantaisie. »

A vrai dire, tu étais beaucoup plus.

Tu étais mon imagination :

l'art de combiner les souvenirs.

Lorsque, enfant, je me suis mis à lire les récits de la Mythologie, tu t'es changée en Cybèle.

Je t'imaginais mère des dieux, suprême et éternelle.

La déesse de la fertilité entourée de fleurs et de fruits.

Et, une fois,

faisant écho à mes hallucinations, tu m'as dit avec une solennité biblique :

« Tu es mon petit, mon fils tant aimé en qui j'ai mis toutes mes complaisances. »

A vrai dire j'ai été ton « petit » jusqu'à notre séparation.

J'ai été « petit » alors même que commençait mon adolescence.

Les autres se devaient d'être adultes : moi, je n'en avais pas besoin.

Je t'avais, toi.

Le jour où j'ai découvert les documents dans le cagibi, j'ai cessé d'être « petit ».

Brutalement, je suis devenu adulte, responsable.

Depuis, personne ne m'a plus jamais dit douce-
ment, comme tu savais me gronder :
« Ne suce pas ton doigt »...
« Fais tes devoirs »...
« Lave-toi bien les oreilles »...
« Ne mange pas les coudes sur la table »...
Comme le temps se balance dans mes souvenirs !

Tout ce qui nous est arrivé à papa, à toi et à moi,
à présent ne suit plus que les chemins de la
mémoire.
Tout ce qui est apparu n'a pas péri, parce que
cela apparaît toujours entre ses lignes.
Seul n'est-il advenu que ce qui a afflué jusqu'aux
eaux dormantes de nos souvenirs ?

Que de scènes tatouées pour toujours sur la
mémoire ! Que de fois t'ai-je fait souffrir ! Avec mes
colères enfantines !
Mais aussi, que j'étais heureux lorsque, comme
des amis, nous parcourions Madrid à pied.
En nous racontant « nos choses à nous » avec une
telle complicité.
« Comme l'après-midi a été courte pour tout ce
que nous avions à nous dire. »

La mémoire me crée peu à peu. En altérant
l'ordre de la causalité. Comme si l'effet précédait la
cause
« et le portrait, l'original » !
On dirait que les souvenirs nous façonnent toi et
moi.
Comme dans l'abricot le noyau engendre la vie.
« Deux mois sans te voir ! Comme chaque jour
s'est écoulé lentement ! »
Comme tu m'embrassais quand tu revenais à
Ciudad Rodrigo !

C'étaient des baisers longs et passionnés, quand tu me prenais dans tes bras à l'arrivée du train.

Des baisers explosant de mélancolie.

Des baisers entre le vide et la vie.

Des baisers bizarres comme la grâce.

Des baisers poisseux enrobés de cosmétiques.

Des baisers protocolaires à la porte de l'école.

Des baisers assaisonnés de hoquets et de larmes.

Des baisers de petite jeune fille rangée de Ciudad Rodrigo.

Des baisers au sage bourdonnement.

Des baisers aux couleurs infinies.

Des baisers déférents et justes.

Des baisers aux flamboiements précis.

Des baisers de récompense.

Des baisers appliqués avec fougue.

Des baisers sans frein.

Des baisers impatients.

Des baisers cocasses de petit garçon et de petite fille.

Des baisers comblés de leur pure essence.

Des baisers spontanés comme l'altruisme.

Des baisers mêlés aux circonstances.

Des baisers voraces.

Des baisers insatiables.

Des baisers maladroits, mais si doux !

Les baisers à nul autre pareils, de mon enfance.

Personne ne peut me récompenser quand je me sens protégé par mes souvenirs.

La guerre civile s'est achevée en 1939. Mais pour papa, pour toi et pour moi elle a duré... si longtemps !

Comme si nous avions dû assumer les rites ancestraux du « taurobole ».

Le culte de la mère des dieux célébré par cette cérémonie est raconté par un Espagnol, Prudence :

« Le néophyte couché au fond d'un trou recevait le sang du taureau que l'on avait égorgé sur une plate-forme percée et située au-dessus de celui qui allait recevoir le baptême. A travers les petits orifices du bois la rosée sanglante s'écoulait dans la fosse. »

L'initié s'efforçait d'imprégner du liquide son nez, sa bouche et tous ses vêtements.

« La foule croyait qu'après ce baptême de sang écumant le néophyte demeurait purifié de ses fautes. »

En Anatolie, pendant le « taurobole », on arrachait les testicules aux ennemis.

On les consacrait et les offrait à la mère des dieux par un rituel magique.

Plus tard, on leur substitua des testicules de taureau.

« On les recueille dans le Kernos, on les transporte au temple de la mère des dieux et on les enterre sous un autel commémoratif. »

Le néophyte régénérait ses forces vitales et faisait sienne l'énergie que représentent les testicules.

Que de fois je t'ai entendue répéter cette malédiction de la Bible : « Je châtierai Baal à Babylone. »

Comme si tu annonçais que le « bole » de « taurobole » ne provenait pas de *bolion* ou *bol* mais de « Baal ».

Le taureau de Baal !

Comme nous avons aisément glissé, papa, toi et moi, sur la pente de la fatalité.

Nous étions comme trois animaux que l'Histoire, cette marâtre, s'efforçait de chasser et de réduire à merci.

La guerre civile nous a fait franchir le portail de la tragédie.

Et, cependant, je t'ai dit un jour à la porte du monastère de la Charité, à Ciudad Rodrigo : « Comme j'aspire au rêve impossible de m'envoler avec toi vers un domaine fécondé par le don de la beauté. »

Les prêtres chaldéens obligèrent Faustine la Jeune, sur le point de mettre au monde Commode, à se baigner dans le sang d'un gladiateur.

« Maman, toi tu n'es pas comme les autres. Je veux que personne ne te fasse souffrir. Je voudrais déjà être un homme pour te défendre contre tous. Tu m'inspires des rêves plus riches que la vie. »

Pendant la guerre civile, autour de nous, des êtres inoffensifs sont devenus des fauves
et ils renversaient tout avec leurs troupes.
Les bourreaux improvisés
se sont acharnés avec une telle ardeur qu'ils en ont perdu l'appétit.

Papa, toi et moi, nous avons vu que l'ambition portait un dard.
Avec quelle précipitation apparaissaient ceux qui condamnaient.
La déraison couronnée de venin était le héraut de l'infamie.
Les plus féroces pétrissaient leur pain avec du sang et les plus pervers avec du poison.

« Non, maman, à toi personne ne fera du mal ni à Burgos ni à Ciudad Rodrigo. Je veux que tu sois heureuse même lorsqu'il ne restera plus un lopin de terre sans sa ration de douleur. »

Grâce à toi les choses les plus insignifiantes et les plus creuses se nourrissaient de ferveur. Près de la Maison de la Chaîne à Ciudad Rodrigo, je t'ai dit :

« Maman, la différence entre tel homme et tel autre ne se trouve-t-elle que dans leur cœur ? »

Grâce à toi j'ai compris que la beauté est l'ultime expression de la vérité.

A l'âge de quatorze ans
(avant de découvrir le cagibi avec les documents sur papa)
je t'ai écrit pour te féliciter :

« Avec quelle allègre exactitude la couleur jalouse de la forme a créé les nuances de ta chevelure si belle ! Avec quels flamboiements précis l'harmonie a mis la dernière touche aux reflets irisés de tes cheveux ! Avec quel soin infini tes charmes sans fin perdent de leur beauté pour paraître sublimes ! »

Pendant mon enfance et mon adolescence, tu m'as enseigné ce qui ne s'enseigne pas
mais qu'il est fondamental d'apprendre.

Comme je regrette le temps de la première fois.
Avec quelle soudaineté une vieille photo, une carte postale de Ciudad Rodrigo, le souvenir d'une de tes phrases m'emportent jusqu'à la Terre Promise de mon enfance.
Comme si, les ailes d'Icare fixées dans notre dos, nous pouvions ensemble nous élever,
splendides,
jusqu'au temps qui ne reviendra plus.

Nous devons aussi

papa toi et moi
jouir de la paix.
Tu es restée trop d'années cloîtrée et prudente.
Balançant entre l'introversion et la misanthropie.
Hier soir j'ai demandé à mon ami Alejandro :
« Qui sait où se trouve mon père ? »
Il a retourné trois cartes au hasard.

« Je sais que tu ne peux pas croire au tarot de Marseille... mais nous allons voir ce que les cartes disent sur ton père. »

La première était la VIIIe lame, la Justice.

« Elle représente la Mère. La personne qui dans la première partie de la vie de ton père s'impose à lui par ses vertus. C'est aussi l'image de la beauté et de l'amour. Elle porte à la main une épée, symbole de droiture. »

Il a placé la deuxième carte près de la première : la XIXe lame, Le Soleil.

« Au premier plan deux hommes se trouvent près d'une muraille. Ils sont éclairés par le gigantesque soleil de la liberté qui occupe la partie supérieure de la carte. Ton père vient de s'enfuir en sautant par-dessus le mur de la prison. L'homme qui est avec lui l'y a aidé. Tous deux, nus, se regardent et s'aiment. Ton père se cache à partir de ce moment pour que la Justice (ta mère) ne découvre pas sa transformation amoureuse. »

La troisième carte était la XXIIe lame, le Procès.

« Un homme, toi, se dirige vers l'ange de la trompette qui domine la partie supérieure de la carte. Une femme à ta gauche (ta mère) et un homme à ta droite (ton père) t'aident à franchir l'obstacle qui se présente à toi, le mur noir des mauvais souvenirs. »

Avec quelle douce obstination mon ami, par le recours à l'éloquence, essayait de me convaincre.

En arrivant à la maison, j'ai repensé à nous et surtout à papa et à toi.

Et au mystère de sa fuite.

Mon ami avait évoqué une hypothèse qui ne m'était jamais venue à l'esprit.

Comme si, nichée dans mon propre sein, je l'avais écartée.

Combien d'autres probabilités ai-je repoussées les yeux fermés ?

Pendant des années, tu figurais dans toutes mes conjectures et, sans le vouloir, comme je t'ai fait souffrir !

Un jour, aux Trois Colonnes de Ciudad Rodrigo, tu as dit, comme si tu pressentais ma future inconscience : « Vois comme la libellule vole sans s'en apercevoir et sans comprendre ce que c'est que voler. »

Cette nuit tout mon être, en silence, écoute, tâchant d'entendre la voix que tu avais alors.

Quand tu approuvais tous mes caprices d'enfant.

Quand tu me félicitais de tout cœur pour n'importe quel gribouillis.

Quand tu riais avec une infinie condescendance de toutes mes trouvailles.

Quand tu répétais avec conviction qu'un jour je parviendrais « aux plus grandes choses ».

Quand tu me contemplais comme si j'étais la première merveille du monde.

Quand tu ne te contentais, en pensant à moi, de rien de moins que de tout.

Quand, avec rage, tu as déclaré à cette petite fille de la place du Pin qui s'accrochait trop à moi à ton goût : « L'Evangéliste l'a déjà dit : un jour viendra où les hommes seront si persécutés par les femmes qu'il leur faudra se percher dans la cime des arbres. »

L'Histoire, cette marâtre, a juré ta perte et ta condamnation.

Le blâme est parvenu si loin que, mal vue, tu t'es dérobée aux regards.

A Madrid tu m'as rappelé : « Je vis dans les ténèbres : seuls les bien vus sont visibles. »

Papa, toi et moi, nous avons été victimes du supplice chinois.

L'Histoire, cette marâtre, nous a enchaînés toi et moi, nous a jetés tout au fond de la tragédie.

Quand elle nous a précipités, ligotés, j'ai voulu cesser de t'appeler « maman ».

Comme il m'en a coûté, alors, de prononcer un mot si doux.

En quête de consolation, je me suis ouvert tout grand à la douleur.

J'ai oublié combien j'avais été heureux avec toi jusqu'au dernier moment... quand je te disais : « Maman, chaque fois que tu es avec moi, tu me donnes comme de nouveaux éclats de plaisir. »

Le bonheur, dans mon enfance, se fragmentait en de minuscules fulgurations.

Tu m'as rendu heureux en m'apprenant
à faire un nœud papillon,
à tracer une raie droite en me coiffant,
à dessiner la carte de la province de Salamanque,
à me moucher,
à allumer la lumière du couloir sans recevoir une décharge électrique,
à lire le thermomètre,
à m'essuyer quand j'allais aux toilettes,
à donner des feuilles de mûrier aux vers à soie.

« Dis-moi, maman, pourquoi rien venant de moi ne te répugne ? »

Quand tu revenais de Burgos à Ciudad Rodrigo, tu faisais irruption dans ma vie si comblée de joie !

« A Ciudad Rodrigo avec toi, maman, je vis un petit moment d'éternité. »

Avec quelle ardeur je découvrais le temps avec toi !

« Mais quand tu t'en vas à Burgos travailler, comme j'ai peur que tu ne reviennes jamais plus. »

Des années plus tard, l'Histoire, cette marâtre, nous a précipités, ligotés, au plus profond du malheur.

Autour de toi a surgi la brusque tentation de te juger
et l'habitude de te préjuger.
Bien trop longtemps l'obscurité a renfermé en son sein le meilleur de toi-même.
Aujourd'hui où toi (et papa?) tu as atteint l'âge de quatre-vingt-dix ans,
combien je souhaite que la solitude ne soit jamais plus ta geôle,
ni la retraite, ta jalousie.

Les mots me manquent là où la dévotion me submerge.

Je te souhaite longue vie
maman...
Comble-moi par ce présent.

Cet ouvrage a été réalisé par la
SOCIÉTÉ NOUVELLE FIRMIN-DIDOT (Mesnil-sur-l'Estrée)
pour le compte de LA LIBRAIRIE PLON
76, rue Bonaparte, 75006 Paris

Achevé d'imprimer en mars 2000

Imprimé en France
Dépôt légal : avril 2000
N° d'édition : 13203 – N° d'impression : 50459